*Billie*

## DU MÊME AUTEUR

CHEZ LE MÊME ÉDITEUR

*L'Échappée belle,* 2009.

*La Consolante,* 2008.

*Ensemble, c'est tout,* 2004.

*Je l'aimais,* 2002.

*Je voudrais que quelqu'un m'attende quelque part,* 1999.

JEUNESSE

*35 kilos d'espoir,* Bayard, 2002.

# Anna Gavalda

# *Billie*

le dilettante
19, rue Racine
Paris 6e

© le dilettante, 2013
ISBN 978-2-84263-790-3

*aux clandestins*

☆

On s'est regardés méchamment. Lui parce qu'il devait penser que tout était de ma faute et moi parce que ce n'était pas une raison pour me regarder comme ça. Des bêtises, j'en ai tellement fait depuis qu'on se connaît, et il en a tellement profité, et il s'est tellement marré grâce à moi, que c'était minable de sa part de me reprocher celle-ci juste parce qu'elle allait mal finir...

Merde, comment je pouvais le savoir ?

Je pleurais.

– Ça y est ? T'as des remords ? il a murmuré en fermant les yeux. Non... Je suis bête... Les remords, tu...

Il était trop épuisé pour avoir la force de m'en vouloir jusqu'au bout. Et puis c'était inutile. Là-dessus, on serait toujours d'accord. Moi, les remords, je ne sais même pas comment ça s'écrit...

Nous étions au fond d'une crevasse ou de je ne sais quoi de géographiquement très embêtant. Un genre de… de déboulis dans le Parc national des Cévennes où les portables ne captaient pas, où y avait pas la queue d'un mouton – et encore moins celle d'un berger – et où personne ne nous trouverait jamais. Moi, je m'étais bien amoché le bras, mais je pouvais encore le bouger, alors que lui, c'était clair, il était en mille morceaux.

J'ai toujours su qu'il était courageux, mais là, vraiment, il me donnait une leçon.

Encore une…

Il était allongé sur le dos. Au début, j'avais essayé de lui bricoler un oreiller avec mes pompes, mais vu qu'il est quasi tombé dans les pommes quand j'ai soulevé sa tête, je l'ai reposée direct et je n'y ai plus touché. C'est le seul moment où il a flippé d'ailleurs, il pensait que sa moelle avait trinqué et il était tellement terrifié à l'idée de finir intouchable qu'il m'a soûlée pendant des heures pour que je l'abandonne dans ce trou ou que je l'abrège.

Bon. Comme j'avais rien sous la main pour le buter proprement, on a joué au docteur.

Hélas, on ne s'était pas rencontrés assez tôt, tous les deux, pour y jouer en cachette, mais c'est sûr qu'on n'aurait pas été les derniers dans la salle d'attente... De le lui rappeler, ça l'a amusé et ça tombait bien parce que moi, que ce soit en enfer ici ou de l'autre côté, c'était tout ce que je voulais emporter : des petits sourires déjà mort-nés et tirés à l'arrache comme celui-là.

Le reste, franchement, ça pourra bien rester à la consigne...

Je l'ai pincé partout et de plus en plus fort. Dès qu'il souffrait, je bichais. C'était la preuve que le cerveau s'en mêlait et que je n'aurais pas besoin de rouler son fauteuil jusqu'à Saint-Pierre. Sinon, pas de problème, j'étais OK pour lui défoncer le crâne. Je l'aimais assez.

— Bon, ben ça a l'air d'aller... Tu fais que de couiner, c'est que tout baigne, non ? À mon avis, en plus de la jambe, tu t'es cassé la hanche ou le bassin. Enfin, un truc dans ce périmètre, quoi...

— Mhmm...

Il n'avait pas l'air convaincu. On sentait que quelque chose le chiffonnait. On sentait que je n'étais pas du tout crédible sans ma blouse blanche et mon trucoscope autour du cou. Il regardait le ciel en fronçant les sourcils et en mâchouillant sa vieille chique de scrogneugneux.

Je lui connaissais bien cet air-là, je les connaissais tous de toute façon, et je comprenais qu'il y avait encore un nœud à défaire.

C'était le mot, tiens...

– Naaan, Francky, naaan… j'ai halluciné, j'y crois pas… Hé, tu veux quand même pas que je te tripote pour la checker aussi?

– …

– Si?

Je le voyais bien, qui luttait de toutes ses forces pour garder son faciès de mourant, mais moi, mon problème, c'était pas du tout une question de convenances. Plutôt d'efficacité. L'heure était grave et je pouvais quand même pas prendre le risque de lui régler son compte juste parce que j'étais pas son genre…

– Ho… C'est pas que je veux pas, hein? Mais enfin, tu…

Je me faisais penser à Jack Lemmon dans la dernière scène de *Certains l'aiment chaud*. Comme lui, je commençais à être à bout d'arguments et je devais dégoupiller ce que j'avais de plus définitif en magasin pour qu'on arrête de me casser les couilles :

– Je suis une fille, Franck…

Et là, vous voyez… là, si j'étais en train de donner une conférence très approfondie sur l'Amitié, genre en coupe transversale avec schémas, diapos, mini bouteilles d'eau et tout le bazar pour expliquer d'où ça venait, en quelle matière c'était fait et comment se méfier des contrefaçons, eh bien, je demanderais un arrêt sur image et avec ma souris de prof, je pointerais sa réplique.

Ces trois petits mots tout crevards et tout guillerets murmurés dans un sourire hyper mal imité par un être humain qui ne savait même pas s'il allait vivre ou mourir, ou continuer de souffrir, mais sans plus jamais baiser :

– *Well... Nobody's perfect...*

Oui, pour une fois, j'aurais été sûre de moi et tant pis pour ceux qui ne l'ont pas vu, qui ne comprennent rien au film et qui ne sauront donc jamais reconnaître un pur ami d'un pauvre travelo, je ne peux rien faire pour eux.

Alors que là, parce que c'était lui, parce que c'était moi, et parce que nous arrivions encore à voltiger ensemble et à nous rattraper dans les hauteurs dans un moment aussi minable, je l'ai enjambé pour pouvoir poser mon bras valide sur son bas-ventre.

Je l'ai juste frôlé.

– Bon, il a grogné au bout d'un moment, je te demande pas le grand jeu, mémère... Juste tu la touches et on n'en parle plus.

– J'ose pas...

Il a poussé un profond soupir.

Je comprenais son accablement. Ensemble, nous avions vécu des situations tellement plus embarrassantes où j'avais été si peu à mon avantage et je l'avais bercé de tant d'histoires bien fauves, bien rêches et bien chaudasses que, là encore, je n'étais pas du tout crédible...

Mais alors pas du tout, du tout, du tout !

Pourtant ce n'était pas du chiqué... Je n'osais pas.

On ne peut jamais savoir à l'avance où va aller se nicher le sacré. La main toujours en équilibre, je réalisai soudain qu'il y avait un monde entre mes histoires de cul et sa tobinette. J'aurais bien pu toutes les palper s'il avait fallu, mais pas la sienne, non, pas la sienne et cette leçon-là, c'était moi qui me la donnais toute seule pour une fois.

J'ai toujours su que je l'adorais, mais je n'avais encore jamais eu l'occasion de mesurer à quel point je le respectais, eh bien, la réponse, je la tenais, elle : quelques millimètres...

Soit l'infini de ma pudeur. De notre pudeur.

Bien sûr, je savais déjà que je n'allais pas me laisser entraver très longtemps par cette gêne de minouchette à la con, mais en attendant, j'étais la première étonnée. Sérieux, ça me trouait le péteux de me voir si délicate. Intimidée, craintive, presque revierge, quoi ! C'était Noël.

Bon. Allez. Trêve de blabla. Au charbon, la pucelle...

Pour le détendre, j'ai commencé par pianoter autour de son nombril en chantonnant « Picoti, picota, lève la queue et puis s'en va », mais ça ne l'a pas tellement détendu. Ensuite je me suis allongée près de lui, j'ai fermé les yeux, j'ai posé mes lèvres sur son conduit… euh… auditif, je me suis concentrée et je lui ai susurré tout bas, non, plus bas que ça encore, en lui explosant des bulles de salive dans l'oreille et avec tout ce qu'il fallait de petits couinements bien énervants, ce que je devinais être le pire ou le meilleur de ses fantasmes les mieux cadenassés tout en longeant d'un ongle distrait, paresseux, démotivé, bon… branleur disons-le, le U que formaient les coutures de sa braguette.

Les poils de ses oreilles se rétractaient de terreur et mon honneur était sauf.

Il a pesté. Il a souri. Il a ri. Il a dit t'es bête. Il a dit arrête. Il a dit t'es con. Il a dit c'est bon. Il a dit mais tu vas arrêter, oui! Il a dit je te déteste et il a dit je t'adore.

Mais tout ça c'était il y a longtemps. Quand il avait encore la force de finir ses phrases et que je ne pensais pas qu'avec lui, je pleurerais un jour.

À présent, la nuit tombait, j'avais froid, j'avais faim, je mourais de soif et je craquais parce que je ne voulais pas qu'il souffre. Et si j'étais un peu honnête, je les finirais moi aussi et j'ajouterais « par ma faute » à la fin.

Mais je ne suis pas honnête.

J'étais assise près de lui, adossée à un rocher, et je me fanais tout doucement.

Je m'effeuillais remords après remords.

Au prix d'un effort dont je n'aurai jamais idée, il a décollé son bras de son corps et sa main est venue toucher mon genou. J'ai posé la mienne dessus et ça m'a encore plus affaiblie.

Je n'aimais pas qu'il me prenne par les sentiments, ce petit charognard. C'était déloyal.

Au bout d'un moment, je lui ai demandé :

– C'est quoi, ce bruit ?

– ...

– Tu crois que c'est un loup ? Tu crois qu'y a des loups ?

Et comme il ne répondait pas, j'ai hurlé :

– Mais réponds, bon sang ! Dis-moi quelque chose ! Dis-moi oui, dis-moi non, dis-moi va te faire foutre, mais me laisse pas toute seule... Pas maintenant... Je t'en supplie...

Ce n'était pas à lui que je m'adressais, c'était à moi. À ma bêtise. À ma honte. À mon manque d'imagination. Lui ne m'aurait jamais abandonnée et s'il se taisait, c'était uniquement parce qu'il avait perdu connaissance.

Pour la première fois depuis très longtemps, son visage ne ressemblait plus à un reproche et l'idée qu'il devait moins souffrir m'a redonné du courage : d'une façon ou d'une autre, j'allais nous sortir de là, c'était obligé. Nous n'avions pas fait tout ce chemin pour nous la jouer *Into the Wild* aux petits pieds dans un trou de la Lozère.

Putain, non, ce serait trop la honte...

Je réfléchissais. D'abord, ce n'était pas des loups, mais des cris d'oiseaux. Des chouettes ou je ne sais quoi. Et puis on ne mourait pas d'un corps cassé. Il n'avait pas de fièvre, il ne perdait pas de sang, il douillait, d'accord, mais il n'était pas en danger. Ce que j'avais de mieux à faire pour le moment, c'était de dormir pour prendre des forces et demain, dès l'aube, à l'heure où me regaverait cette merde de campagne, je partirais.

J'irais par cette saloperie de forêt, j'irais par cette saloperie de montagne et je déposerais dans cette combe un putain d'hélico en fleur.

Voilà, c'était dit. J'allais bouger mes fesses et, foi de poétesse, ça allait gîter dans les Causses. Parce que la randonnée en famille, youkaïdi youkaïda, avec des crétins d'ânes bâtés et des bourricots trop stressés, ça allait deux minutes.

Désolée, les gars, mais nous, le Quechua, ça nous gratte.

T'entends, bébé ? T'entends ce que je viens de dire ? Sur ta vie, moi vivante, jamais tu ne caneras en province. Jamais. Plutôt crever.

Je me suis de nouveau allongée, j'ai grogné, je me suis relevée pour balayer ma couchette et virer cette chienlit de cailloux qui me fusillaient le dos avant de me recaler contre lui en position de gisante.

Je n'arrivais pas à m'endormir…

Les petits lutins qui vivaient dans mon cerveau avaient pris trop d'acides…

Là-haut c'était le bagad de Lann-Bihoué remixé techno beat.

L'enfer.

Je gambergeais tellement que je n'arrivais même plus à m'entendre penser et puis j'avais beau le coller et me serrer très fort dans mon bras, j'avais toujours aussi froid.

Je caillais, DJ Grumpy me pétait les trois neurones de vaillance qui me restaient et du coup, des petites larmes plus agiles que les autres en profitaient pour se faufiler en rates.

Ah, putain. J'avais vraiment perdu la main.

Pour les rembarrer, j'ai basculé la tête en arrière et... Et là... Ooohh...

Ce n'était pas tant les étoiles qui me la bouclaient, on en avait déjà vu un paquet depuis qu'on crapahutait par ici, c'était leur chorégraphie. *Plic !* Elles *Gling !* s'allumaient les unes après les autres en cadence. Je ne savais même *Ding !* pas que c'était possible...

Elles brillaient tellement que c'en était presque louche.

Comme si c'était des LED ou des toutes neuves à peine déballées. Comme si quelqu'un avait marché sur le variateur d'intensité.

C'était... magnifique...

Soudain, je n'étais plus seule et je me suis tournée vers Franck pour me moucher sur son épaule.

Hé, oui... un peu de décence, les cassos... On arrête de morver quand le bon Dieu vous prête sa boule à facettes...

Est-ce qu'il existait des grandes marées pour les galaxies comme pour les océans ou est-ce que c'était juste pour moi? Un big up de la voie lactée? Une immense rave de fées Clochette venues me saupoudrer un max de poussière d'or sur la tête pour m'aider à recharger les batteries?

Il en venait de partout et j'avais l'impression qu'elles réchauffaient la nuit. J'avais l'impression de bronzer dans le noir. J'avais l'impression que le monde s'était inversé. Que je n'étais plus au fond de mon gouffre à chipoter ma misère, mais sur une scène...

Oui, d'aussi bas que je me tortillais (que je me tortillasse?) (bon, que je faisais la crêpe, quoi...), je dominais quelque chose.

J'étais dans une salle de concert immense, un genre de Zénith à ciel ouvert qui allait d'un bout à l'autre de la terre en plein milieu de la chanson qui tue, et tous ces briquets, et tous ces écrans, et tous ces milliers de cierges magiques que les anges tournaient vers moi, j'étais obligée de m'en montrer digne. Je n'avais plus le droit de pleurer sur mon sort et j'aurais tellement voulu que Francky en profite aussi...

Lui non plus n'aurait pas su distinguer la Grande Ourse de la Petite Casserole, mais il aurait été si heureux de voir tant de beauté... Si heureux... Parce que c'était lui, l'artiste de nous deux. C'était grâce à sa sensibilité que nous avions réussi à sortir de nos tas de fumier et c'était pour lui que l'univers avait sorti son smok en lamé.

Pour le remercier.

Pour lui rendre hommage.

Pour lui dire : Toi, petit, on te connaît, tu sais... Si, si, on te connaît... Ça fait un moment qu'on t'observe et on l'a noté que t'étais obsédé par la beauté... Toute ta vie, t'as fait que ça : la chercher, la servir et l'inventer. Eh ben, tiens... Regarde... Regarde pour ta peine... Regarde-toi dans ce miroir... Ce soir, on te reverse enfin tes intérêts... Ta copine, elle, elle est vulgaire, elle fait que de cracher partout et de jurer comme une vieille radasse. Je me demande bien qui l'a laissée entrer... Alors que toi... Toi, t'es de la famille... Viens, fils... Viens danser avec nous...

J'étais en train de jacter tout haut...

En toute modestie et pour un garçon qui ne pouvait pas m'entendre, je venais de parler au nom de l'univers !

C'était con, mais c'était mignon...

C'était dire à quel point je l'aimais...

Euh... sinon... un dernier truc, monsieur l'Univers... (et en même temps que je disais ça, c'était James Brown que je voyais), non, deux, en fait...

Primo, vous laissez mon ami là où il est... C'est plus la peine de l'appeler, il ne viendra pas. Même si je lui fais honte, y me laissera jamais tomber.

C'est comme ça et même vous, vous n'y pouvez rien, deuzio, je m'excuse de parler si mal.

C'est vrai, j'abuse, mais toutes les fois que je vous écorche les oreilles, c'est pas par manque de respect, c'est la rage de ne pas trouver les bons mots assez vite. It's a man's world, you know…

*I feel good*, il a répondu.

*

Je regardais toutes ces étoiles et je cherchais la nôtre.

Parce que nous en avions une, c'était une certitude. Pas une chacun, malheureusement, mais une pour nous deux. Une petite veilleuse en colocation. Oui, une bonne petite loupiote qui nous avait trouvés le jour où on s'était rencontrés et qui, bon an mal an, avait fait du bon boulot jusque-là.

OK, ces dernières heures, elle avait un peu merdé, mais tout s'était éclairci depuis…

Elle se pomponnait, la Pomponnette.

Elle vidait son spray paillettes de chez Sephorus.

Hé! Normal, c'était la nôtre! Elle allait quand même pas tenir la chandelle de l'Éternel pendant que ses copines se barraient au feu d'artifice!

Je la cherchais.

Je les passais toutes en revue pour la trouver parce que j'avais des trucs à lui dire… À lui rappeler…

Je la cherchais pour la convaincre de nous aider encore une fois.

Malgré nous.

Malgré moi, surtout...

Oui. Puisque tout était de ma faute, c'était à moi d'aller lui toquer la pointe pour qu'elle réactive sa hotline.

Les autres, elles étaient belles aussi, mais j'en avais rien à f... pardon, je m'en moquais, alors qu'elle, si je la rebriefais de tout mon cœur, j'étais sûre qu'elle se laisserait de nouveau infléchir...

☆

Je crois que je la tenais.

Je crois que c'était celle-là, tout là-bas… Posée au bout de mon doigt et à des milliards d'années de moi…

Toute petite, toute mimi, toute rikiki Swarovski et légèrement décalée.

Légèrement en retrait du troupeau…

Oui, c'était bien elle. XXS, solitaire et méfiante, mais qui envoyait tout ce qu'elle avait. Qui scintillait de toutes ses forces. Qui était trop contente d'être là. Qui adorait la chanson et qui connaissait toutes les paroles par cœur.

Qui se la pétillait groovy dans la nuit…

Qui serait la dernière couchée et la première levée. Qui sortait tous les soirs. Qui faisait la fête depuis mille milliards d'années et qui avait toujours autant d'éclat.

Hein que je me trompais pas?

Hein que c'était toi?

Pardon, que c'était vous?

Dites… Je peux vous parler une minute?

Je peux vous redire qui on est, Franck et moi, pour que vous nous aimiez encore une fois?

J'ai pris son silence pour un soupir de résignation, genre hé, vous commencez à me les pâlir, les sauve-qui-peut, mais bon… vous avez de la chance, c'est le slow et j'ai pas de mec. Alors allez-y, je vous écoute. Vendez-moi votre histoire vite fait que je retourne croquer mon Milky Way.

J'ai cherché la main de Franck, je l'ai serrée de toutes mes forces et je suis restée un moment à nous remettre en ordre.

Oui, je nous ai faits tout beaux tout propres, bien cirés et bien peignés pour nous présenter sous notre meilleur jour et après je nous ai lancés en l'air.

Comme Buzz l'Éclair.

Vers l'infini et au-delà…

Franck, il s'appelle Franck parce que sa mère et sa grand-mère adoraient Frank Alamo (*Biche, oh ma biche, Da doo ron ron, Allô Maillot 38-37* et tout ça) (si, si, ça existe…) et moi, je m'appelle Billie parce que ma mère était folle de Michael Jackson (*Billie Jean is not my lover / She's just a girl* etc.).

Autant dire qu'on ne partait pas avec les mêmes marraines dans la vie et qu'on n'était pas programmés pour se fréquenter un jour…

Lui, sa maman et sa mamie se sont tellement bien occupées de lui quand il était petit qu'il leur a offert le cédé du Retour des Yéyés, le concert du Grand Retour des Yéyés, le spectacle musical de Salut les Copains, le dévédé blou-ray, et même la croisière qui allait avec.

Et quand Dadou chéri a cassé sa pipe, il a posé un jour de congé, il est allé les chercher en train, il les a remontées en première et il les a accompagnées sur le parvis de je ne sais plus quelle église.

Tout ça pour les soutenir quand elles ont fre-donné *Sur un dernier signe de la main* au moment où ils rechargeaient le cercueil dans le fourgon...

Moi, ma mère, je ne sais pas si elle a eu d'autres gamins après moi qu'elle a appelés Bad ou Thriller ni même si elle a pleuré quand Bambi a sauté dans le vide vu qu'elle s'est barrée quand j'avais même pas un an. (Y faut dire que j'étais très chiante aussi...) (C'est mon paternel qui m'a dit ça un jour : Ta mère elle s'est barrée parce que t'étais trop chiante. C'est vrai, tu faisais que de brailler tout le temps...) (Hé! Je sais pas combien de psys y faudrait user pour éponger une explication pareille, mais un bon paquet, si vous voulez mon avis!)
Oui, un matin, elle est partie et n'a plus jamais donné signe de vie...
Ma belle-mère, elle, elle a jamais aimé mon prénom. Elle disait que ça faisait mauvais garçon et là-dessus, c'est sûr, j'ai jamais eu le cœur de la contrarier... De toute façon, faut pas compter sur moi pour lui tailler un costard. C'est vrai que c'est une crevure, mais c'est pas vraiment de sa faute non plus... Et puis ce soir, je ne suis pas là pour elle. Chacun sa merde.

Bon. Voilà, petite étoile, ce sera tout pour l'enfance.

Franck, il en parle très rarement et quand il en parle, c'est uniquement pour s'en éloigner. Et moi, j'en ai pas eu.

Déjà, que j'aime encore mon prénom, vu mes circonstances, je trouve que c'est un exploit.

Y avait que le génie de Michael pour réussir une pirouette pareille...

★

Franck et moi, on allait au même collège, mais il a fallu attendre la troisième pour qu'on s'adresse la parole. C'est-à-dire la seule année où on a été dans la même classe. On s'est avoué depuis qu'on s'était repérés dès le matin du jour de la rentrée en sixième. Oui, qu'on s'était reconnus au premier coup d'œil, mais qu'inconsciemment, on s'était évités pendant toutes ces années parce qu'on sentait que l'autre se trimbalait du lourd aussi et qu'on ne pouvait prendre le risque de souffrir un milligramme de plus.

C'est vrai que moi, je recherchais surtout la compagnie des filles du style Polly Pocket. Des toutes mignonnes avec des cheveux longs, une chambre pour elles toutes seules, des paquets de gâteaux de marque et une maman qui signait bien les carnets de correspondance. Je faisais tout ce que je pouvais pour qu'elles m'aient à la bonne et qu'elles m'invitent chez elles le plus souvent possible.

Hélas, y avait toujours un moment où j'avais moins la cote... Les mois d'hiver surtout... Je ne l'ai compris que beaucoup plus tard, mais c'était surtout une question de... de ballon d'eau chaude et que de... qu'aussi que... d'odeur... de... putain... mais hé, j'en bafouille dans ma tête tellement la honte me reprend. Bon. Next.

Pendant toutes ces années, j'ai tellement menti sur mon compte que j'étais obligée de me faire des genres de récapitulatifs pour ne pas m'embrouiller d'une rentrée sur l'autre.

Chez moi, j'étais un lion qui bouffait que de la vache enragée parce qu'y avait que ça à bouffer, mais à l'école, j'ai toujours été calme. De toute façon, j'aurais pas eu l'énergie nécessaire pour être sur la défensive 24 heures sur 24. Y faut l'avoir vécu pour le comprendre, mais ceux qui l'ont vécu, ils savent exactement de quoi je parle : la défensive... Toujours, toujours... Et surtout quand c'était calme... Les moments de calme, c'était les pires, ça voul... Hof, et puis non... On s'en fout.

Un jour, en cours d'histoire-géo, le prof, M. Dumont, m'a renseignée sans le savoir sur ma vie. Le quart monde, il a dit. Il en a parlé comme ça, comme de l'exportation des richesses ou de l'ensablement du mont Saint-Michel, mais moi, je me souviens, j'avais rougi de honte. Je ne savais pas qu'il existait dans le dictionnaire un mot inventé exprès pour désigner le gourbi où je vivais... Parce que je suis bien placée pour le savoir, que ce genre de sous-monde, y se voit pas forcément à l'œil nu. La preuve, les assistantes sociales sont jamais venues... Si t'as pas de marques et si tu vas à l'école tous les jours, la protection de l'enfance, tu lui passes au travers à l'aise et ma belle-mère, je dis pas qu'elle faisait bourgeoise en apparence, mais vraiment, les gens la considéraient quand elle allait au supermarché, ils lui disaient bonjour et les enfants ça va et tout ça.

J'ai jamais su où elle achetait son mazout...
Y en a, c'est la petite souris ou les rennes du père Noël, mais moi, le grand mystère de mon enfance, ça restera ça : ces putains de bouteilles vides, mais d'*où* est-ce qu'elles venaient ? D'où ?
Le grand, grand mystère...

★

C'est pas l'école de la République qui m'a sortie de là. C'est pas les instits, c'est pas les profs, c'est pas la gentille mademoiselle Gisèle qui nous a préparés pour la communion ni les parents d'élèves toujours en état de choc avec le poids des cartables ou ceux, bien évolués, de mes gentilles petites copines qui écoutaient France Inter et qui lisaient des livres et tout ça, non, c'est lui... (et je le pointais du doigt dans la nuit) c'est Franck Muller.

Oui, lui, là... Cette fiotte de Franck Mumu, qui avait six mois et quinze centimètres de moins que moi, qui perdait l'équilibre à chaque fois qu'on lui donnait une tape sur l'épaule et qui se faisait tout le temps emmerder à l'arrêt des cars. C'est lui qui m'a sauvée...

Lui tout seul.

Franchement, j'en veux à personne, et même là, vous voyez, je vous raconte tout ça et ça va, j'y arrive. C'est loin. C'est tellement loin que c'est même plus vraiment moi, en fait...

Bon, j'avoue, j'ai toujours un petit flash d'angoisse avec les papiers à remplir. Nom des parents, lieu de naissance, tout ça, direct, j'ai le bide qui me lâche, mais ça va, ça passe. Ça passe vite.

Le seul truc, c'est que je ne veux jamais les revoir. Jamais, jamais, jamais... Jamais je ne retournerai là-bas, jamais. À aucun mariage, à aucun enterrement, à rien. D'ailleurs, quand je croise une plaque d'immatriculation qui porte les chiffres de ce département, hop, direct je cherche autre chose du regard pour me remettre à flot.

À une époque – et comme je ne pense pas que j'aurai le temps de vous le raconter cette nuit, je récapitule –, à une époque où je n'arrêtais pas de planter, où mon enfance revenait trop souvent me tabasser par surprise et où j'avais tendance, moi aussi, à bien lever le coude soi-disant pour m'en protéger, j'ai obéi à Franck : j'ai fait reset de force.

J'ai complètement bazardé mon disque dur pour pouvoir me redémarrer en mode sans échec.

Ça a été long et je crois que j'y suis arrivée, mais tout ce que je demande en échange, c'est de ne plus jamais les revoir.

Plus jamais.

Même morts. Même carbonisés. Même en charpie dans un fossé.

Et même là, vous voyez… je vais être honnête pour une fois… Si vous me disiez : OK, je t'envoie deux brancardiers, un jambon-beurre et un pack de San Pellegrino mais en échange, tu fais un petit coucou de la main à ta belle-mère ou à n'importe laquelle de ces raclures, eh ben, je vous dirais non.

Non.

Je vous répondrais non et je trouverais une autre solution que vous pour nous sortir d'ici.

★

Donc, voilà, on fréquentait le même collège d'une petite ville de même pas 3 000 habitants dans une région rurale comme ils disent. Mais

« rurale », c'est encore trop joli comme mot. On y voit des collines et des ruisseaux. Le village d'où je viens, la région où j'ai grandi, elle n'avait pas grand-chose de rural. C'était, c'est toujours, un bout de la France qui n'est plus irrigué par rien depuis trop longtemps et qui se gangrène à force.

Oui, qui se putréfie... Qui n'en finit pas de crever... Un pays où les bonnes gens boivent trop, fument trop, croient trop en La Française des jeux et passent trop leur misère sur leur famille et leurs animaux.

Un monde où tout le monde se suicide comme ça : à feu doux et en entraînant les plus faibles derrière eux...

À les entendre, le malaise des jeunes, c'est toujours dans les banlieues que ça se passe, mais à la campagne, ma bonne dame, c'est pas facile tous les jours, vous savez !

Nous, pour brûler des voitures, y faudrait déjà qu'on en voie passer une !

La campagne, quand t'es pas comme tout le monde, c'est encore pire que l'indifférence.

Bien sûr, y aura toujours des genres de touristes, que ce soit de la politique, de trucs associatifs, du bon manger bio ou de je ne sais quoi d'autre de gentiment mytho pour vous dire que j'exagère, mais je les connais, ces gens-là... Oui, je les connais... C'est comme ceux des services sociaux :

au bout du compte, y ne voient bien que ce qu'on veut bien leur montrer...

Et je les comprends.

Je les comprends parce que je suis devenue comme eux, moi aussi.

À chaque fois que je vais ou que je reviens de Rungis, c'est-à-dire au moins quatre fois par semaine, je sais exactement où je dois me concentrer sur la route. Oui, y a deux moments précis où je suis à fond sur les bandes blanches et où je fais vraiment super gaffe à mes distances de sécurité. Et vous savez pourquoi? Parce qu'à ces deux endroits-là, entre Paris et Orly disons, y a deux petits tas de détritus sur le bas-côté. Au ras du bitume.

Bon, c'est vrai, c'est moche, mais le problème, c'est que c'est pas vraiment des décharges en fait... Non, c'est des maisons. C'est des chambres à coucher de petites filles qui sont toujours sur la défensive...

Allez, accélérons. Comme je le disais plus haut : à chacun ses encombrants. Moi, j'ai tellement écopé que je suis devenue un monstre d'égoïsme et mon égoïsme, c'est ce que j'ai de mieux à offrir aux petites Billie de l'autoroute A6.

Matez, les puces, matez-moi bien dans ma vieille estafette toute bignée et remplie de fleurs, je suis la preuve qu'on arrive à ne plus en mourir un jour...

Oui, on s'était repérés, mais on s'évitait depuis toutes ces années parce qu'on était les pestiférés du collège Jacques-Prévert.

Moi parce que j'étais des Morilles (c'est pas le nom d'un bled ou d'un coin à champignons, c'est... je ne sais pas... je n'ai jamais su en fait... une casse... un genre de zone artisanale... un genre de déchèterie où rien n'est trié... tout le monde dit « les Gitans » mais c'était pas des Gitans, c'était juste la famille de ma belle-mère... son père, ses oncles, ses demi-sœurs, mes demi-frères et tout ça... ceux des Morilles, quoi...) et que je me tapais presque deux kilomètres de marche à pied tous les matins et tous les soirs pour aller à un autre arrêt que le mien, le plus loin possible de leur bordel et de mon Home Sweet Mobile-home de peur que les autres gamins ne me laissent plus m'asseoir à côté d'eux dans le car, et lui parce qu'il était trop différent du reste du monde...

Parce qu'il n'aimait pas les filles mais qu'il n'aimait qu'elles, parce qu'il était bon en dessin et nul en sport, parce qu'il était maigrichon et allergique à tout et n'importe quoi, parce qu'il traînait toujours tout seul et complètement barré dans son caisson à rêves et parce qu'il attendait de passer en dernier à la cantine pour éviter le bruit et les bousculades devant les tourniquets.

Je sais, petite étoile, je sais... ça fait vraiment trop cliché en plastique la façon dont je le raconte... Le petit pédé souffreteux et sa Cosette des dépotoirs, j'avoue, ça manque un peu de finesse, mais bon... qu'est-ce que vous voulez que je vous ponde à la place ? Que je me loge dans du dur les mois d'hiver ou que je lui rajoute une mobylette et deux gourmettes pour qu'on ait moins l'air de sortir d'un feuilleton à la con ?
Ben, non... J'aimerais bien, mais je peux pas... Parce que tout ça, c'est nous... C'est l'histoire de notre première vie... Neverland et Dadou Ronron. Rage tendre et tête de bois. Je vais quand même pas me forcer à enjoliver des trucs pour moins faire pleurer la Margot dans sa chaumière...
So, Beat It.
Just Beat It.

En plus, hé ? Ça va, quand même, non ? Je vous

ai pas refourgué des attouchements ou des trucs bien glauques dans ce goût-là…

Coup de bol, c'était pas le genre de la maison.

Chez nous, ça tapait dur, mais on ne touchait pas aux petites culottes.

Ouf, ouf, ouf, petite étoile, hein?

Et puis, vous savez, je ne pense pas qu'on soit si clichés que ça. Je pense que dans tous les collèges de France et d'ailleurs, que ce soit à la campagne ou dans les villes, y en a plein les salles de permanence, des clandestins dans notre genre…

Des combattants de l'invisible, des délocalisés d'eux-mêmes, des qui sont en apnée du matin au soir et qui en crèvent parfois, oui, qui finissent par lâcher prise si personne les repêche un jour ou s'ils n'y arrivent pas tout seuls… En plus, je trouve que je le raconte vraiment soft pour le coup. Pas pour vous épargner de la gêne ou à moi des critiques, mais parce que le soir d'un de mes anniversaires, celui de mes vingt-deux ans je crois, j'ai fait reset.

Je me suis réinitialisée devant lui et j'ai juré à Franck Muller que c'était fini. Que je ne me laisserais plus jamais me faire du mal.

Et la petite Cosette, peut-être qu'elle manque d'imagination, mais en attendant, elle tient ses promesses.

★

On s'évitait si bien qu'on aurait pu se louper pour de bon.

On en était à la fin du deuxième trimestre, il nous restait encore quelques mois à tirer et ensuite chacun aurait fait selon son bonus/malus et ses orientations. Moi je voulais travailler le plus vite possible et lui… lui, je ne savais pas… Lui, quand je le regardais de loin, il me faisait penser au Petit Prince… Surtout qu'il avait la même écharpe jaune… Lui, personne ne pouvait savoir ce qu'il allait devenir…

Oui, il nous restait encore quelques semaines à nous ignorer et on aurait été débarrassés du fantôme de l'autre et de tout ce qu'il représentait pour toujours.

Sauf que voilà : On a eu droit à un deuxième acte…

Est-ce que c'était Dieu qui avait trop honte de ce qu'il avait laissé faire jusque-là et qui a voulu se rattraper pour soigner ses problèmes de digestion ou est-ce que c'était vous? Ou est-ce que c'était toi? Oui, j'en ai marre de te vouvoyer, j'ai l'impression de balancer mon cas à une aiguilleuse du Pôle Emploi. Je ne sais pas qui a fait ça ni pourquoi, mais en tout cas, c'était exactement comme Charlie et son ticket d'or dans la barre de chocolat Wonka. C'était… moins une…

Et là, merde, je rechiale et je me tourne de nouveau contre mon polochon cassé pour pas que ça
se voie.

★

On a eu le bonjour d'Alfred et quand je vous
disais tout à l'heure que c'était pas l'école ou les
profs qui m'avaient sortie des Morilles, j'étais
injuste. Parce que si... et vu comme ils m'ont mal
aimée, les profs, ça me fait mal aux seins de leur
dresser une statue, mais voilà, si... je leur dois bien
plus que des moments de répit entre les vacances...
   Sans Mme Guillet, professeur de français en
classe de troisième cette année-là et sans sa fixette
du théâtre et du spectacle *vivant*, comme elle
disait, moi, je serais sûrement un genre de zombie
à l'heure qu'il est.

> *On ne badine pas avec l'amour*
> *On ne badine pas avec l'amour*
>
> *On*
> *ne*
> *badine pas*
> *avec*
> *l'amour*

Oh... Comme j'aime le redire, ce titre...

☆

La mère Guillet était venue ce matin-là avec des petites corbeilles en rotin de sa cuisine. Dans la première, les papiers pliés, c'était des scènes à jouer, dans la deuxième des noms de filles de la classe pour faire des Camille et dans la dernière, des garçons-Perdican.

Quand j'ai entendu que le hasard m'avait choisi Franck Mumu pour partenaire de jeu, non seulement je ne savais pas encore que la pièce en question ne parlait pas d'animaux (j'avais compris « Pélican »), mais en plus, je me souviens, je suis partie direct en sucette...

Le tirage au sort avait eu lieu, exprès, la veille des vacances de Pâques pour que nous ayons le temps d'apprendre nos tirades et pour moi, c'était une catastrophe. Qu'est-ce que j'allais pouvoir me concentrer pour apprendre le moindre truc par cœur pendant des putains de vacances ? C'était fichu d'avance. Il fallait que je refuse. Il ne fallait surtout pas qu'il reste avec moi, sinon il aurait une sale note par ma faute. Les vacances, pour moi, c'était synonyme de... du contraire de la possibilité d'un apprentissage de quoi que ce soit. Et là, tout ce blabla à jabot en dentelles et écrit tout petit, c'était même pas la peine d'y penser.

Du coup, quand il s'est approché à la fin du cours, je ne l'ai pas vu arriver parce que j'étais déjà trop partie en torche sur moi-même.

– Si tu veux, on peut se retrouver chez ma grand-mère pour répéter...

C'était la première fois que j'entendais sa voix et... Oh... Oh, mon Dieu... Ça m'a fait tellement de bien... Ça m'a démêlée direct. Ça m'a empêchée de m'étouffer dans mon stress.

Pourquoi ? Parce que ça m'évitait d'avoir à *demander* quelque chose à un adulte...

Comme il a cru que j'hésitais (mais non, c'était juste la perspective de passer quinze jours là-haut), il a ajouté tout timidement :

– Elle était couturière... Elle pourrait peut-être nous faire des costumes...

Je suis allée chez cette dame tous les jours et chaque jour un peu plus longtemps que la veille. J'y ai même dormi une nuit parce qu'il y avait le film *La Parure* à la télé et que Franck m'avait proposé de le voir avec eux.

Côté Morilles, pour une fois, on ne m'a pas trop emmerdée. C'est affreux à dire, mais chez les quartmondistes, on te respecte si tu couches tôt.

J'avais un copain, je fréquentais, à quinze ans, je me faisais enfin mettre, j'étais donc pas un cas si désespéré que ça.

Bien sûr, j'ai eu droit à mon lot de réflexions bien humiliantes, bien crades et tout, mais d'un, j'avais l'habitude, de deux, du moment qu'ils m'empêchaient pas de me carapater, je m'en foutais.

Ma belle-mère m'avait même payé des habits neufs pour l'occasion. Un copain, ça l'impressionnait plus qu'une bonne note...

Si j'avais su, je me disais en regardant mon premier jean à peu près potable, si j'avais su, je me serais inventé des tas de pélicans avant...

Sans le savoir et par des tas de façons qui étaient impossibles à analyser à ce moment-là, la simple existence de Franck – et même pas « dans ma vie », non, juste son existence – changeait la donne.

La mienne en tout cas.

Ce furent les seules vacances de mon enfance et les plus belles de ma vie.

Ah... Fait chier...
Polochon.

☆

Ce qui m'a le plus gênée au début, c'était le calme. Comme la grand-mère de Franck nous laissait tranquilles et qu'il parlait tout doucement, j'avais l'impression qu'il y avait un macchabée dans la pièce d'à côté. Il n'arrêtait pas de me demander ça va? ça va? parce qu'il voyait bien que ça n'allait pas du tout et je répondais oui, oui, mais vraiment, j'étais super mal à l'aise.

Et puis je m'y suis faite...

Comme à l'école, je laissais mes défenses à la porte et je changeais de dimension.

La première fois, on s'était mis dans cette salle à manger qui ne devait jamais servir tellement elle était propre. Ça sentait bizarre... Ça sentait le vieux... Le triste... On s'est assis l'un en face de l'autre et il m'a proposé de commencer par relire notre scène ensemble une première fois avant de nous organiser pour les répétitions.

J'avais honte, je ne comprenais rien.

Je ne comprenais tellement rien que je lisais comme une patate. Comme si je déchiffrais du chinois...

Il a fini par me demander si j'avais quand même lu la pièce ou au moins notre passage de mon côté et comme je n'ai pas répondu tout de suite, il a refermé son bouquin et il m'a regardée sans rien dire.

Je sentais mes piquants qui recommençaient à pousser. J'avais pas envie qu'il me prenne la tête avec ces conneries de jactance du quatorzième siècle. Je voulais bien apprendre mes phrases obligées comme un jargon d'autrefois, genre phonétiquement, mais je ne voulais pas qu'il fasse le prof avec moi. J'en avais plein le cul des gens qui me remettaient tout le temps à ma place en me faisant sentir à quel point j'étais une grosse merde. Encore au bahut, je me la bouclais pour éviter un supplément d'embrouilles, mais pas là, pas dans cette pièce qui puait le Polident. Il fallait qu'il arrête de me regarder comme ça sinon j'allais partir. J'en pouvais plus qu'on me dévisage tout le temps. J'en pouvais plus.

— J'adore ton prénom...

Ça m'a fait plaisir, même si, en moi-même, j'ai pensé : ben tiens, c'est sûr, c'est un prénom de garçon... mais, d'équerre, il m'a mouchée :

– C'est celui d'une chanteuse merveilleuse...
Tu connais Billie Holiday?

J'ai secoué la tête.

Ben, non... Je connaissais rien, moi...

Il m'a dit qu'il me la ferait écouter un jour et
il m'a demandé de le suivre.

– Viens... Installe-toi sur le canapé... Là... Je
vais te la lire... Tiens, prends ce coussin... Mets-toi
bien confortable... Mets-toi comme au cinéma...

Comme j'étais jamais allée au cinéma, j'ai préféré m'asseoir par terre.

Il s'est posté en face de moi et il a commencé.

D'abord il m'a expliqué tous les personnages
dans ma langue natale :

– Alors, voilà... C'est un vieux qui s'appelle
le Baron... quand la pièce commence il est tout
excité parce qu'il attend, d'une minute à l'autre,
le retour de son fils Perdican qu'il n'a pas revu
depuis des années – Perdican était parti faire des
études à Paris – et de sa nièce Camille qu'il a
élevée quand elle était petite et qu'il n'a pas vue
depuis encore plus longtemps parce qu'il l'avait
envoyée au couvent... Ne fais pas cette tête, c'était
normal à l'époque... Le couvent remplaçait la
pension pour les filles nobles. Elles apprenaient
à coudre, à broder, à chanter, à devenir des
épouses parfaites et en plus, on était sûr qu'elles
resteraient vierges... Camille et Perdican ne se

sont pas vus depuis dix ans. Ils ont grandi sous le même toit et ils s'adoraient. Comme des frère et sœur et sûrement même un peu plus, si tu veux mon avis... L'éducation de ces deux jeunes gens lui a coûté bonbon et lui, le Baron, ce qu'il voudrait à présent, c'est les marier ensemble. Justement parce qu'ils s'adoraient et aussi parce que ça lui permettrait de rentrer dans ses frais. Eh oui... 6000 écus quand même... Ça va? T'es toujours avec nous? Bon, je continue. Perdican et Camille ont chacun un chaperon... T'as vu *Pinocchio*? Alors un Jiminy Cricket si tu préfères... Quelqu'un qui s'occupe d'eux et qui les flique en permanence pour qu'ils restent dans le droit chemin. Pour Perdican, c'est Maître Blazius, qui était son précepteur, c'est-à-dire son unique instit quand il était gamin et pour Camille, c'est Dame Pluche. Maître Blazius, c'est un gros plein de soupe qui ne pense qu'à picoler et Dame Pluche, c'est une vieille bique qui ne pense qu'à tripoter son chapelet et à faire ksss... ksss... à tous les hommes qui approcheraient sa Camille d'un peu trop près. Elle, elle est mal baisée, enfin, pas baisée du tout, et y a pas de raison que la petite soit autrement...

Déjà, à ce niveau-là, je me rappelle, j'en revenais pas. Je commençais même à avoir des doutes... C'était vraiment ça, les devoirs que nous avait donnés la prof ? C'était vraiment aussi croustillant ? J'avais pas eu l'impression pourtant... Déjà le nom du mec, Alfred de Musset, ça sentait son vieux machin à lorgnon tout rassis et je... bon, donc, je souriais et, comme je souriais, Franck Mumu était tout heureux aussi. Des petites ailes lui poussaient dans le dos et il en faisait des caisses et des caisses pour garder mon attention.

Sans le savoir, il était en train de m'offrir ma première sortie. Le premier spectacle de toute ma vie...

Quand il a eu fini de me présenter les personnages, il a vérifié que je les avais bien emmagasinés en me posant des tas de petites questions bien pointues :

– Pardon, mais ce n'est pas du tout pour te piéger... C'est pour être sûr que tu suives bien la pièce après, tu comprends ?

Je disais oui, oui, mais je m'en foutais total de la pièce. Tout ce que je comprenais, c'était qu'un être humain faisait attention à moi et me parlait gentiment et là, déjà, c'était plus du français, mais de la science-fiction.

Ensuite, il m'a lu *On ne badine pas avec l'amour*. Ou plutôt, il me l'a jouée. Pour chaque personnage, il prenait une voix différente et quand c'était le Chœur qui parlait, il montait sur un tabouret.

Pour le Baron, il était un baron, pour Blazius, il faisait le bon gros pépère à moitié bourré, pour Bridaine, le sale petit pépère qui ne pensait qu'à la bouffe, pour Dame Pluche, une vieille fille qui parlait d'un petit trou de bouche bien serré, pour Rosette, une gentille paysanne totalement dépassée par les événements, pour Perdican, un beau garçon qui ne savait plus s'il avait surtout envie de baiser ou de se caser et pour Camille, une fille pas très rock'n'roll, mais droite comme un i et bien carrée dans sa tête. Enfin... au début...

Une fille de dix-huit ans qui ne connaissait rien à la vie et qui ressemblait aux bougies qu'on allumait dans les églises : super simple, super pure et super blanche, mais bien allumée.

Oui, complètement en effusion à l'intérieur...

J'étais... émerveillée.

Exactement comme tout à l'heure quand j'ai voulu ravaler mes larmes et que j'ai vu le ciel en entier...

Le coussin que je serrais fort dans mes bras, c'était comme si j'avais posé un sourire dessus.

Je ne faisais que sourire.

À un moment, alors qu'il était Perdican qui disait à Camille avec un ton de mépris un peu soûlé : « Ma sœur chérie, les religieuses t'ont donné leur expérience ; mais, crois-moi, ce n'est pas la tienne ; tu ne mourras pas sans aimer », il a refermé son livre d'un coup sec.

– Pourquoi tu t'arrêtes ? je me suis inquiétée.

– Parce que c'est la fin de notre scène et que c'est l'heure de goûter. Tu viens ?

Dans la cuisine, en buvant je ne sais plus quoi, de l'Orangina, je crois, et en mangeant les madeleines en caoutchouc de sa mamie, je n'ai pas pu m'empêcher de penser tout haut :

– C'est nul de nous couper comme ça... On a trop envie de savoir ce qu'elle va répondre...

Il a souri.

– Je suis d'accord... Le problème, c'est qu'après, il y a des gros pavés de texte... Des longs, longs monologues... À apprendre, ce serait coton... Mais c'est vrai que c'est dommage parce que le plus beau de cette scène, tu verras, c'est tout à la fin, quand Perdican s'énerve et explique à Camille que oui, tous les hommes sont des nazes et que oui, toutes les femmes sont des morues, mais qu'il n'y a rien de plus beau au monde que ce qui se passe entre un naze et une morue quand ils s'aiment...

Je lui ai souri.

On ne s'est rien dit d'autre mais, à ce moment-là, tous les deux, on connaissait déjà la suite.

On a fait genre de finir nos verres comme si de rien n'était, mais on le savait.

On le savait, et on savait que l'autre le savait aussi.

On le savait, que c'était notre dernière chance et qu'on tenait là notre revanche sur toutes ces années de solitude passées au milieu des nazes et des morues du monde entier.

Oui. On a rien dit et on a regardé par la fenêtre pour redescendre en pression, mais on le savait.

Qu'en vrai, nous aussi, on était beaux…

Je pourrais passer la nuit à te raconter ce qui s'est passé ensuite. Ces deux semaines avec lui, à discuter, à apprendre, à travailler, à jouer, à nous engueuler, à nous réconcilier, à jeter mon bouquin, à m'énerver, à renoncer, à criser, à recommencer, à jouer de nouveau et à travailler encore.

Je pourrais y passer la nuit parce que, pour moi, ma vie, elle a commencé là...

Et ce n'est pas une expression, petite étoile, c'est un extrait d'acte de naissance, alors ne badine pas avec ça, s'il te plaît. Tu me vexerais.

⋆

Nous avions décidé de nous retrouver tous les après-midi pour répéter les scènes que nous avions apprises le matin même et, très vite, j'ai dû trouver un autre endroit que mon doux foyer pour être au calme.

J'ai testé plusieurs coins : l'arrière d'une carcasse de voiture, le porche de l'ancienne scierie, le lavoir, mais c'était devenu un jeu, chez les morpions de ma belle-sœur (de mon genre de belle-sœur, disons, de ma belle-sœur à la mode de chez nous), de me pister non-stop pour venir m'emmerder et, au final, j'ai atterri au cimetière et je me suis installée dans un caveau.

Toutes ces croix, tous ces ossements, tous ces débris de pierres cassées et de fer rouillé, ça vous calmait direct et c'était parfait pour amadouer cette chieuse de Camille et sa manie des crucifix.

Je ne l'ai pas fait exprès, mais vraiment, ça tombait bien...

Je ne sais pas si c'était lié au lieu, si les morts avaient décidé de me donner un petit coup de pouce parce qu'ils s'ennuyaient et qu'ils voulaient tuer le temps, mais je n'en reviens toujours pas, de la vitesse et de la facilité avec lesquelles j'ai appris ces textes.

Comme j'ai conservé précieusement mon vieux bouquin, il m'est arrivé de relire notre scène pour le plaisir et à chaque fois, j'ai été obligée de me pincer pour y croire. Mais comment avons-nous fait ? Mais comment ai-je fait ? Moi qui ne sais toujours pas mes tables de multiplication et qui pédalais dans le vide dès qu'un prof nous demandait d'apprendre par cœur un truc de plus de cinq lignes?

Je ne sais pas... Je crois que c'était pour être digne de Franck Muller... Pour ne pas le décevoir... Pour le remercier de m'avoir parlé si gentiment le premier jour...

C'est bête, hein?

Et puis... je serais incapable de l'expliquer avec des mots intelligents, mais il me semblait que je tenais là beaucoup plus qu'une revanche à la con sur un monde et des gens qui, en réalité, m'indifféraient depuis longtemps...

Je n'avais rien à prouver à personne.

Rien.

Je voulais juste faire plaisir à Franck et m'arracher.

J'étais trop jeune pour le comprendre à l'époque et je n'ai pas assez de vocabulaire pour le dire aujourd'hui, mais j'avais l'impression, quand j'étais recroquevillée dans mon caveau à apprendre les mots de cette fille qui n'en finissait pas de gratter, de gratter et de gratter encore pour trouver une réponse aux questions de folie qui lui mangeaient la tête, que j'en profitais aussi. Oui, que je me faufilais dans ce quelque chose d'affamé d'elle pour lui prendre un peu de sa niaque au passage et me barrer dans son sillon.

Ce que je devais me dire sans le savoir, c'est que si j'assurais vraiment avec mes répliques et que je permettais ainsi à Franck Muller de jouer son rôle dans les meilleures conditions possibles, eh bien, je ne serais plus des Morilles.

Je serais… de moi-même. De moi toute seule. De ce caveau abandonné. De ma minuscule chapelle…

Oui, j'étais cachée là, assise au milieu des gravats à écouter les délires de cette petite bourge qui n'avait jamais souffert de rien et qui voulait tout, qui voulait rafler toute la mise avant même de commencer la partie ou qui préférait ne pas jouer sinon, qui préférait ne rien vivre plutôt que de vivre comme les autres et tout ce que j'avais à faire, c'était de la serrer de près pour qu'elle me fasse la courte échelle vers son besoin de plus grand qu'elle.

Parce que même si je n'étais pas d'accord avec ses fixettes, je l'admirais…

Je savais qu'elle se trompait. Je savais que les bonnes sœurs lui avaient lessivé le cerveau et que ça l'arrangeait bien parce qu'elle avait les jetons de sauter dans le vide. Je savais qu'elle se laissait bouffer par son orgueil et qu'elle allait en chier toute sa vie à cause de son entêtement de pureté à la con. Je le savais, que si elle avait fait, elle aussi, ne serait-ce qu'un tout petit tour aux Morilles, elle se serait calmée direct et aurait envisagé sa vie avec plus de modestie, mais en attendant, et à cause de ça justement, c'était la meilleure coéquipière possible pour me faire la belle.

Elle était tellement butée et psychorigide qu'elle ne renoncerait jamais et si j'assurais de mon côté, tout tiendrait bon.

Yes. À deux têtes de mules pareilles, on allait le faire, ce putain de casse !

Bien sûr, rien de tout cela n'était conscient, mais j'avais quinze ans petite étoile... J'avais quinze ans et je me serais accrochée à n'importe quoi pour m'arracher...

Oui, je pourrais y passer la nuit, mais comme je n'ai pas le temps, je vais faire avance rapide et ne garder que deux moments importants de cette petite aventure...

Le premier, c'est la discussion qui a suivi sa lecture du premier jour et le second, c'est ce qui s'est passé à la fin de notre « représentation ».

Au fait, t'es toujours là, petite étoile ?

Tu me claques pas dans les doigts, hein ?

Quand t'en as trop marre de mes histoires, tu m'envoies un kit avec une civière et deux jolis garçons pour ressusciter mon Francky et je te lâche la grappe direct, promis.

(Hé, te fatigue pas... Choure-les chez Abercrombie, comme ça ils seront déjà montés.)

*Elle est morte. Adieu, Perdican !*

Et là, Franck s'est tu pour faire genre taa...
dada... la suite après la pub !

Et la suite, je l'attendais avec impatience.
Oui, je me demandais bien comment ils allaient
s'y prendre pour sauver les meubles encore une
fois, ces deux-là, vu que la mort d'un pauvre, dans
ces fanfreluches à la monseigneur, ça compte pour
du beurre et qu'une bonne histoire, surtout
d'amour, ça se termine toujours par un mariage
à la fin avec des chants, des danses, un tambourin
et tout ça.
Mais non.
C'était fini.

Il était ému et moi, énervée.
Il disait que c'était fort et moi, que c'était nul.

Il soutenait que c'était une belle leçon et moi, un beau gâchis.

Il défendait Camille, son honnêteté, sa pureté, sa quête d'absolu et moi, je la trouvais coincée, influençable, peine-à-jouir et masochiste.

Il méprisait Perdican et moi... Moi, je le comprenais...

Lui était convaincu qu'elle était retournée à son couvent direct. Triste et déçue, mais réconfortée dans sa mauvaise opinion des hommes. Et moi, j'étais sûre qu'elle avait fini par se laisser choper au détour d'un buisson quelques billets doux de raccommodage plus loin.

Bref, on tenait chacun notre bout de barbaque et on n'en démordait pas.

On aurait dit du catch avec des mots.


Pardon?

De quoi, petite étoile?

T'es perdue?

Tu te souviens plus de la pièce?

Ah ben, attends. Bouge pas. Je te résume l'affaire à ma façon puis à celle de Franck et, avec un peu de chance, entre les deux t'auras plus ou moins celle de Musset...


a) (à ma façon) Camille sort du couvent après avoir entendu, pendant toute son adolescence, les jérémiades de nonnes qui, elles, fermentaient là par dépit, par aigreur ou par désespoir. Soit qu'elles étaient cocues, ou moches, ou les deux, soit que leur famille n'avait pas de quoi leur payer une dot. Bon, OK, y en avait sûrement des plus saintes et des mieux motivées dans le lot, mais celles-là, elles ne bourrent pas le mou des jeunes filles. Elles prient.

Camille est toujours folle de son cousin Perdican sur lequel elle a bien fantasmé pendant toutes ces années, enfermée qu'elle était dans son Tupperware. Oui, bien kiffé, bien moité, bien soupiré et j'en passe, mais comme elle est hyper orgueilleuse et qu'elle pressent qu'il s'est fait plein d'autres nanas quand il était à Paris, ça lui défrise grave sa petite moustache de bonne sœur et elle le harcèle de toutes les façons possibles pour qu'il lui dise, genre à genoux et en s'accrochant à son jupon de bure : Bon, oui... c'est vrai... j'en ai sauté d'autres... Mais c'était juste pour l'hygiène, tu sais... Moi, j'en ai jamais rien eu à foutre de toutes ces filles... En plus, c'était que des putes... Tu le sais bien, que je n'ai jamais aimé personne d'autre que toi, mon amour... D'ailleurs, je ne regarderai plus jamais une autre femme de toute ma life... Je te le jure sur ton crucifix... Allez, pardonne-moi, quoi... Pardonne-moi d'être tombé dans des trous fourbes et dissimulés alors qu'il faisait si sombre et que j'y voyais pas plus loin que le bout de mon zguègue...

59

Mais comme il ne marche pas dans la combine (eh non…) (et pourtant, il l'aime aussi…) (eh oui…) (mais sans tous ces bruits de chaînes à la clef) (eh non…) (sinon c'est plus de l'amour, c'est une police d'assurance) (eh si…) (et tout ça, c'est dans notre scène à nous), elle décide de retourner à son bunker et écrit une lettre à sa copine de dortoir où, au lieu de dire : « Hélas, on ne voit pas les choses de la même façon, lui et moi. Ressortez mon écuelle et ma paillasse en crin, je raboule », elle en fait des caisses du genre : « Oh, ma sœur… Oh, là, là… Oh, je me suis refusée… Oh, le pauvre… Oh, qu'est-ce que je lui ai mis, à celui-là… Oh, priez pour lui parce que… hin, hin, hin… je ne sais pas s'il va s'en remettre et tout ça. »

Bon, pourquoi pas ? Il faut bien qu'elle prépare les guirlandes de petits gloussements qui l'accueilleront à son retour, sauf que, pas de bol, Perdican intercepte la lettre, il la lit (là c'est nul, on est d'accord), se rend compte qu'elle mythonne à fond les ballons et décide de la punir en fricotant avec Rosette, la pauvre petite gardeuse d'oies du château qui passait par là au super mauvais moment.

Camille les voit ensemble, est de nouveau piquée au vif, se rend compte qu'elle l'aime vraiment et qu'il faut qu'elle arrête de déconner, mais déconne encore, et Perdican – qui en a plein le… le séant de tous ses va-et-vient entre Jésus C.

et lui – fait mine/décide (point toujours en débat entre Franck et moi à ce jour) d'épouser Rosette pour de bon.

Du coup, Camille craque pour de bon aussi et lâche enfin son chapelet et son amour-propre avec.

Ah! Super! Ils vont enfin s'embrasser après s'être fait mille scènes pendant trois actes, sauf que, re pas de bol, Rosette, qui était dans les parages, a tout entendu et se suicide de désespoir. Et la suite, vous la connaissez.

Eh bé...

Clap, Clap, hein?

Ils auraient vraiment mieux fait de badiner avec l'amour, ces cons-là...

Ils avaient tout. Le pognon, la beauté, la santé, la jeunesse, un gentil papa, des sentiments l'un pour l'autre, tout... Et ils ont tout foutu en l'air, et tué quelqu'un au passage, par... par caprice... par égoïsme... pour le plaisir d'enfiler les moucherons et de blablater autour d'une fontaine en se donnant des petits coups d'éventail sur le nez.

Écœurant.


b) (à la Franck) Camille aime Perdican. Elle l'aime d'amour pur. Elle l'aime plus qu'il ne l'a jamais aimée et qu'il ne l'aimera jamais.

Elle le sait parce qu'en amour, elle en connaît un rayon bien plus grand que lui et sa tobinette, toute bonne pointeuse qu'elle soit, réunis.

Pourquoi? Parce qu'au couvent, elle a rencontré le Vrai amour, le Grand, le Pur. Le qui ne vous déçoit jamais et qui n'a rien à voir avec toutes nos petites histoires de fesses qui font les choux gras de purepeople.com et des avocats.

Oui, elle a été touchée par la grâce et elle est prête à sacrifier son bonheur sur cette terre pour servir son Amant Infini.

Là, elle est simplement venue embrasser son oncle et récupérer je ne sais plus quoi. (Le fric qui lui vient de sa mère? Je me souviens plus…) Hélas, elle se rend compte que son cousin Didi, même s'il est volage, bécassou et mortel, lui fait encore vachement d'effet…

Damned. La voilà toute chamboulée.

Bon, c'est vrai, elle a merdé dans sa lettre de petite sainte-nitouche qui se la joue femme fatale, mais d'un, il n'avait pas à la lire, de deux, il n'avait qu'à lui en parler en face au lieu de se servir de cette pauvre Rosette pour la faire caguer. (Rosette qui, soit dit en passant, est un être humain véritable, avec un cœur, une âme, des larmes et… euh… des oies et des dindons, donc.)

Oh, que cette vengeance est mesquine… Mais voilà, elle l'aime. Et quand elle aime, elle est cash. Que ce soit avec Dieu ou avec un lâche. Quand elle aime, elle ne calcule pas : elle donne tout. Et quand elle lui prenait la tête tout à l'heure, c'est-à-dire dans notre scène, avec ses angoisses sur l'amour, la mort, l'usure et la fidélité, ce n'était pas du tout pour le gaver, mais pour qu'il la rassure.

Raté.

Comme elle est mille fois plus mûre que lui et qu'il est quand même bien sous contrôle de sa chipo (comment disait-on à l'époque? de sa hallebarde à pompons?) il ne capte rien de ce qu'elle lui déverse et la prend pour une pauvre Missize Freeze exaltée et complètement déroutée par ses mères abbesses.

Bref, livré sans les pièces, le petit baronnet...

Mais comme c'est Camille la Sublime, elle est prête à bouffer des tas de couleuvres par amour.

Oui, par amour pour Perdican, elle est même prête à être aimée sans garantie et en mode random. La classe, non? Surtout venant d'elle... Parce que Camille, c'est ça : c'est la folie dans la droiture. On croit qu'elle est frigide, mais c'est tout le contraire. C'est de la lave, cette fille... De la lave en effusion...

Elle aime l'amour à la folie et c'est ça qui fait toute sa vulnérabilité. Et toute sa beauté, aussi...

Des filles comme ça, il en passe une par siècle et en général, elles finissent mal.

Problème de voltage, on va dire...

Comme elles sont trop intenses pour les douilles qu'on trouve dans le commerce, elles ont beau essayer de s'adapter, à chaque fois qu'on les allume, pof, tout saute.

Bon, bien sûr, après le courant revient et tout le monde fait « Aaaah... » en s'en retournant à son petit train-train quotidien, mais pour elles, c'est déjà mort : elles ont cramé. On les secoue un peu et comme elles font *gling gling* à l'intérieur, on les fout à la poubelle.

Alors quoi, cette Camille? Est-ce que c'était sa vraie nature ou est-ce qu'elle avait bouffé trop d'hosties?

Est-ce qu'elle était née avec un cœur trop grand pour le bonheur en barquette ou est-ce que la lave se serait refroidie avec les chaussettes sales de son pépèredican oubliées près de la chaise percée?

On aurait pu le savoir en observant son visage le jour de leurs vingt ans de mariage, sauf que, game over, ce crétin de fils à papa a trop joué avec les allumettes et la pauvre Rosette, écœurée d'être la patate chaude de ces deux bons à rien de petits rupins qui te gargarisent de la roucoule à longueur de journée, mais qui ne sont même pas foutus de se décrotter les bottes avant de marcher sur la tête de leurs gens, se zigouille dans les coulisses.

Ah, zut... Non seulement, ça fait mauvais genre, mais en plus, ça pourrit l'ambiance... Hé! annulez le traiteur, y a le croque-mort qui prend les mesures!

Adieu amant, serments, mariages, fifres et tambours, la pièce est finie et tout le monde se relève, le cœur un peu barbouillé.

Résultat des courses selon, cette fois, les jumelles de Franck : soif de Camille et geste de Rosette, même combat. L'amour est total ou l'amour n'est pas.

Car on, ne, BADINE PAS avec, l'amour.

Point.

Final.

★

Là, je le raconte en >> x 64, mais nous, bien sûr, ça nous a pris des plombes et des plombes de débrouiller tout ce merdier.

En plus, Franck a fini par m'avouer que cette pièce, l'auteur l'avait écrite après un chagrin d'amour, genre pour faire voir à la meuf qui l'avait planté l'étendue des dégâts et ça, ça m'avait encore plus confirmée dans le malaise que tout ce gâchis m'inspirait.

Il y avait là-dessous un petit côté donneur de leçons et revanchard masqué qui me gênait aux entournures. C'était trop compliqué à défendre pour ma petite tête et je n'ai pas insisté, mais j'étais bien d'accord avec moi : ce Musset, il n'était pas très clair. Il se servait de Camille pour ses intérêts et ses intérêts n'avaient pas grand-chose à voir avec l'amour de Dieu…

Je n'ai pas insisté parce que je voyais bien que Franck était sur le point de me mépriser vu qu'on pouvait pas mélanger comme ça l'art et les potins de cul, mais je... Bon, comme j'avais 4 de moyenne en français, je me la suis zippée, mais en attendant, je la captais 5 sur 5, la bonne femme qui l'avait jarté.

Ouais, ouais, ouais... Pas très net, le poète...

Enfin, voilà... ça discutait sec et peut-être qu'on y serait encore à l'heure qu'il est si Franck n'avait pas regardé sa montre.

Mince, il a fait, et il s'est levé car il devait se dépêcher de rentrer pour le dîner. (Chez moi, les horaires étaient... euh... plus souples...)

(Un garçon qui disait « mince » et qui s'inquiétait de déranger l'organisation de sa maman, ça me faisait vraiment bizarre... Tout me faisait bizarre, tout... En réalité, j'apprenais beaucoup plus qu'un rôle, j'apprenais... une civilisation...) (Mais à l'envers.) (Là, c'était la barbare avec son os dans le nez et son pagne en peaux de bananes qui observait les Blancs en cachette.)

Franck venait de regarder sa montre et le moment qui compte, celui dont je t'ai parlé tout à l'heure, eh bien, il ne commence que maintenant. C'est la conversation que nous avons eue, lui et moi, sur le chemin qui allait de chez Claudine (aka Mamie) (mais moi j'avais le droit de dire Claudine) à son lotissement.

Comme c'est très important et que j'en ai marre de nous rapporter en indirect avec tous ces « que » qui nous plombent le récit, je te le fais en dialogues.

Je te le fais à la Alfred's touch...

Toc! Toc! Toc! (les coups de bâton)
Wouiiiiiiitttt (le rideau qui se lève)
Rrrrreucht... Grrouinch... Frrrrhhh (ça c'est les vieux qui toussent et qui se mouchent)
La, la, reli... drela... (la musiquette)

*Un chemin*
*Jacassent Franck et Billie*

BILLIE En fait, c'est toi qui devrais jouer Camille...

FRANCK *(comme s'il venait de se faire chiquer le mollet)* Pourquoi tu me dis ça?

BILLIE *(qui s'en fout total de son mollet)* Ben, parce que... Parce que tu la respectes! Tant qu'à faire, défends-la jusqu'au bout! Moi, je veux bien m'y coller, mais je la sens pas, cette fille... Je trouve qu'elle se prend trop la tête... Hé, c'est pas le problème d'apprendre tout son blabla, hein? C'est juste que j'aime mieux Perdican...

*Silence*

FRANCK *(sur le ton de Mme Guillet)* On ne te demande pas d'*être* Camille, on te demande de la jouer...

BILLIE *(sur le ton de Billie)* Oui, ben tant qu'à jouer, jouons! Moi, je préfère jouer Perdican. Ça m'amuse plus de te dire que si un jour on ne s'aime plus, on prendra chacun des amants jusqu'à ce que tes cheveux soient gris et que les miens soient blancs.

*Silence*

FRANCK Non…

BILLIE Quoi, non?

FRANCK Ce n'est pas une bonne idée…

BILLIE Pourquoi?

FRANCK La prof nous a pas distribué les rôles comme ça et on fait comme elle a dit.

BILLIE Mais… Mais elle s'en fout, non? C'est la scène qui compte, pas de savoir qui fait qui…

*Silence*

FRANCK Non…

BILLIE Pourquoi?

FRANCK Parce que je suis un garçon et que je joue un rôle de garçon et que toi t'es une fille et que tu joues un rôle de fille. C'est aussi simple que ça et voilà.

BILLIE *(qui est nulle à l'école mais qui se défend un peu dans la vraie vie et qui sent fissa qu'on touche là du plus sensible que l'air, alors qui prend un ton badin pour alléger l'atmosphère)* On ne vous demande pas d'*être* Camille, mon cher monsieur, on vous demande de la jouer!

FRANCK *(qui ne dit rien… qui sourit… qui s'amuse*

*bien avec cette drôle de fille des Morilles... qui remarque qu'elle a les cheveux propres pour une fois et qu'elle ne porte pas un affreux bas de survêtement comme tous les autres jours de l'année)*

*Silence*

BILLIE Bon... Tu veux pas?

FRANCK Non. Je ne veux pas.

BILLIE Tu ne veux pas dire de tout ton cœur un truc du genre : « Et que sais-tu de l'amour, toi qui as les genoux tout usés d'avoir trop fait le beau sur les tapis de tes pépées? »

FRANCK *(souriant)* Non...

BILLIE T'as pas envie de crier devant tout le monde « Je veux aimer, mais je ne veux pas souffrir! Je veux aimer d'un amour éternel! »

FRANCK *(riant)* Non.

BILLIE *(sincèrement troublée)* Mais pourtant ça fait deux heures que tu m'expliques le contraire... Ça fait deux heures que t'essayes de me convaincre que c'est elle qui a raison... Que lui, c'est qu'un pauvre minable à côté... Que l'amour, c'est vraiment super beau et qu'il faut pas badiner avec, et tout ça...

FRANCK *(sincèrement troublé de voir Billie sincèrement troublée, mais pressant le pas en levant les bras au ciel)* Mais... Mais ce n'est qu'une pièce! C'est un jeu! C'est pas comme si on était devant un juge ou chez la conseillère d'orientation! C'est du théâtre, Billie! C'est... c'est une distraction!

BILLIE *(qui ne répond pas tout de suite, qui cherche ses mots, qui devine sans le comprendre vraiment que son rôle à elle, que son seul vrai rôle à jouer, c'est maintenant, et que tout le reste, Camille, Rosette, Perdican, Dieu, Musset, Mme Guillet, le romantisme, la vie romantique, le théâtre romantique, les corniauds de leur classe, les graffiti qui puent, les messes basses qui tuent, les groupes de filles qui s'écartent quand elle s'approche, les insultes, les rumeurs, les crachats qui s'effilochent dans le vent, les groupes de garçons qui s'approchent de lui quand il s'écarte, les histoires avec le prof d'arts plastiques de l'année dernière, les mots qui dégueulassent tout et que personne n'oublie jamais, le brevet des collèges, la fin du collège, la sortie vers l'usine, les magasins tous fermés, les maisons toutes à vendre, le futur sans avenir, l'avenir sans espoir, le formulaire du RSA déjà tout prêt, la télé déjà allumée et tout ça, eh ben, c'est de la gnognotte comparé à ce qui la trouble maintenant – qui se tait, donc, et qui rassemble tout ce que sa vie de merde lui a transmis jusqu'ici, tout ce qu'elle a vu, vécu, subi et entendu aux Morilles et alentour, tout ce que lui ont appris de l'humanité ces gens sans foi, sans loi, sans fierté, sans morale, sans rien ; ces gens violents, bêtes, alcooliques et méchants qui font des gamins à tour de bras, dont ils n'ont rien à foutre, des gamins à qui ils montrent comment pisser dans des canettes de bière à peine bues, à tirer à la carabine sur des chatons à peine nés ou à se torcher le cul avec des lettres de la mairie à peine déchiffrées, qui leur fument non-stop dans les naseaux depuis qu'ils sont tout petits, qui laissent tomber les cendres de leurs cigarettes sur leurs cahiers d'école, qui les talochent pour un oui ou pour un non et qui les font dormir seuls et dans des caravanes sans chauffage quand ils ont envie d'être peinards et de baiser tous ensemble pour refaire des gamins dont ils n'ont rien à foutre, etc., et que...)*

FRANCK *(inquiet)* Tu ne dis plus rien... Tu es fâchée?

BILLIE *(pas encore tout à fait au point dans sa tête, mais tant pis, qui se lance quand même et qui fera comme d'hab, qui improvisera)* Non, mais juste, je... Je te comprends pas... Et je parle pas pour toi, en fait... Je dis « toi » mais c'est pas toi, c'est... c'est au-delà de toi... C'est valable pour tout le monde... Y en a pas beaucoup des occasions dans la vie où tu peux dire ce que tu penses et en plus, de le dire bien... De le dire avec des mots déjà trouvés... De te servir d'un personnage inventé par quelqu'un d'autre pour passer en contrebande des trucs que toi aussi, tu trouves précieux... De dire qui tu es... Ou qui tu voudrais être... Et de le dire mieux que tu ne pourrais jamais le faire si t'avais pas déjà sous la main des phrases déjà si belles...

FRANCK *(?!?!)* ...

BILLIE Mais... euh... fais pas cette tête! Tu vois bien que je les ai pas, moi, les mots! Alors fais pas exprès d'être aussi con que moi! Ce que j'essaye de te dire, c'est que quand t'as un truc en toi qui pourrait t'aider à vivre... à vivre vraiment... genre à aspirer et à inspirer jusqu'à ta mort... parce que c'était là avant toi et que ça y sera encore après... Oui, un truc qui parlera de toi quand tu seras couic et sans jamais te trahir, et qui... euh... eh ben qu'est-ce que t'en as à foutre de l'appareil génital?

FRANCK Pardon?

BILLIE Oui, ben t'as très bien compris... Tu veux que je dise quoi, à la place? Bite? Chatte? Nichons?

FRANCK *(???)* ???

BILLIE Ho... tu me cherches ou quoi? Tu comprends pas ce que je veux dire ou c'est juste que tu veux pas? Fille ou garçon, ça compte genre pour la couleur de la chambre du bébé, pour les habits, pour les jouets, pour le prix chez le coiffeur, pour les films que t'as envie de voir ou les sports que t'as envie de faire ou la... j'en sais rien, moi! des trucs où être fille ou garçon, ça fait encore une différence... Mais là... les sentiments... les trucs que tu ressens et qui te sautent direct du bide avant même que tu les penses... les trucs que ta vie va forcément en dépendre après, genre comment tu conçois tes relations avec les autres, qui tu aimes, jusqu'où t'es prêt à morfler, à pardonner, à te battre, à souffrir et tout, franchement, mais qu'est-ce que ta... euh... ta forme anatomique a à voir avec ça, je me le demande... Et je te le demande aussi, d'ailleurs... Si c'est Camille, ton équipe, qu'est-ce que t'en as à foutre d'être un garçon pour la jouer? Et même pas à l'Académie française en plus, mais dans la classe pourrie d'un collège pourri d'une ville pourrie... Hein? Qu'est-ce que t'en as à faire? Dire tout haut les mots de Camille, c'est le contraire de se mettre en danger. Elle est costaud, cette meuf! Elle envoie! Elle est même prête à foutre sa vie en l'air pour être raccord avec ses principes. T'en as déjà croisé beaucoup des comme elle? Moi, zéro... Alors on ne badine pas avec l'amour, OK, mais en échange, rassure-moi, on a quand même le droit de badiner avec tout le reste, non? Ou alors, on n'a qu'à tous aller au couvent direct, ça sera plus simple! Nan mais c'est vrai, ça m'énerve tout ça! Ça m'énerve tout ce gâchis, tout le temps! Ça m'énerve! Et ton excuse de fille et de garçon, là... Je te le dis tout de suite : c'est de la merde. Ça ne tient pas la route une seule seconde. Trouve autre chose.

*Silence*

*Encore du silence*

*Toujours du silence*

FRANCK C'est pas l'Académie française, c'est la *Comédie* française...

BILLIE *(encore énervée d'avoir été obligée de fouillasser si loin et si bas pour dire si mal ce qu'elle avait à dire de si important)* On s'en fout.

*Silence*

FRANCK Billie, tu sais pourquoi il faut absolument que ce soit toi qui joues Camille ?

BILLIE Non.

FRANCK *(émerveillé et se tournant vers elle)* Parce qu'à un moment, Perdican ne peut pas s'empêcher de se tourner vers elle pour lui dire, émerveillé : « Que tu es belle, Camille, lorsque tes yeux s'animent ! »

La conversation s'est arrêtée là. Primo parce qu'on était arrivés devant son portail et secundo parce que si Camille l'envoie bouler direct en lui rappelant qu'elle en a plus rien à foutre des compliments, moi, comme c'était le premier qu'on me faisait de toute ma vie, je… je ne savais pas comment le prendre. Vraiment. Je ne savais pas. Alors j'ai fait la fille genre trop trop sourde pour ne rien déranger.

Ensuite il a regardé sa maison du menton et il a dit :

– Bien sûr, je pourrais te proposer de rentrer un mo…

J'étais déjà en train de répondre oh… non, non, quand il m'a coupée :

– … mais je ne te le propose pas, parce qu'ils ne te méritent pas.

Et ça, bien sûr, c'était autre chose que tous les blablas de Perdican…

Ça, c'était le sang que les Indiens s'échangeaient entre eux en s'ouvrant les veines.

Ça, ça voulait dire : Tu sais, petite Billie illettrée et si grossière, je l'ai très bien entendue, ton explication de tout à l'heure, et mon équipe à moi, c'est toi.

Et voilà.

La, la, reli... drela...

À peine eut-il franchi le pas de sa porte qu'on se pressa autour de Franck en s'enquérant, la mine gourmande et l'œillade entendue, de cette *demoiselle* avec laquelle il flânait dans la rue.

Et ni la réponse évasive du fils ni son agacement manifeste n'eurent raison de la bonne humeur du père lequel, exceptionnellement ce soir-là et pendant tout le temps que dura l'édition du journal de 20 heures, éructa un peu moins qu'à l'accoutumée.

Ainsi, la frêle silhouette d'une jeune fille pouilleuse, craintive et plus ou moins nourrie par ce qui subsistait des allocations familiales et qui était, elle, en train de parcourir trois kilomètres à pied tandis que la nuit tombait et qu'il se resservait en gratin dauphinois, avait tenu tête, pour un soir du moins, au Grand Complot que fomentaient entre eux et depuis la fin de la guerre froide – Jean-Bernard Muller le savait car il tenait ses dossiers très à jour – les francs-maçons, les juifs et les homosexuels du monde entier.

Que Billie paraisse et l'Occident était sauvé. (*NdA*)

Et Franck avait raison, petite étoile, il fallait qu'il en soit ainsi, et tu sais pourquoi?

D'abord parce qu'il était bon acteur et moi pas. Moi, j'avais beau écouter ses conseils, j'étais infichue de faire comme lui, de bouger mes bras et mes mains, de mettre du tralala dans ma voix et des émotions dans les mots et que, au bout du compte, ce genre de manche à balai que j'avais dans le derrière m'a permis d'être une Camille presque parfaite vu qu'elle est comme ça, elle aussi.

Aussi stressée, méfiante et coincée que je le fus dans l'espèce de robe en sac à patates que m'avait fabriquée Claudine.

Et que lui, en plus d'être un Perdican magnifique – et quand je dis « magnifique » tu peux me croire parce que c'est seulement la deuxième fois que j'emploie ce mot depuis le début de mon histoire et que la première, c'était pour parler de tes sœurs et de toi –, oui magnifique… un Perdican à la fois doux, gentil, cruel, triste, drôle, méchant, frimeur, sûr de lui, fragile et déstabilisé, tout bien gainé qu'il était dans la veste de garde champêtre de son arrière-grand-père que Claudine lui avait retaillée le long du corps avant d'en astiquer les boutons à tête de renard comme si c'était des écus d'or et ensuite, à cause de mon Malabar bigoût.

Je m'explique : dans la dernière tirade, celle que tout le monde attend et dont Franck m'avait parlé le premier jour, la fameuse scène « des nazes et des morues », à un moment, Perdican répond à Camille en serrant bien les mâchoires pour empêcher toute sa colère de sortir d'un bloc et de la ratatiner : « … le monde n'est qu'un égout sans fond où les phoques les plus informes rampent et se tordent sur des montagnes de fange, etc. »

Nous, quand on en a été là dans les répétitions, ça faisait déjà presque deux semaines qu'on se voyait tous les jours et à force de papoter, que ce soit en mode Camille et Perdican ou en Franck et Billie, bien sûr, on savait presque tout de l'autre et on était amis pour la vie.

Donc il n'a pas eu besoin de me cacher longtemps que quelque chose le tracassait vu que je l'avais déjà deviné.

Ben oui… Je suis lucide… Je me doutais bien que ma façon de jouer l'accablait totalement…

Alors j'ai été lui tirer encore d'autres vers du nez pour qu'il me latte une bonne fois pour toutes et qu'on n'en parle plus.

– Allez, vas-y. Crache. Je t'écoute.

Il a roulé son bouquin comme si c'était une petite matraque, il a soupiré, il m'a regardée en fronçant les sourcils et a fini par murmurer :

– C'est un des plus beaux passages de la pièce… peut-être même le plus beau… et comme c'est moi qui le joue, il va être gâché.

– Beuh… pourquoi tu dis ça ?

– Parce que… il a ajouté en regardant ailleurs, parce que quand je vais prononcer le mot « phoque », c'est Franck Mumu qui va prendre la place de Perdican et ils vont tous se mettre à ricaner…

Je ne m'y attendais tellement pas (Franck ne montre jamais ses faiblesses et même là, tu vois, s'il est tombé dans les pommes, c'est pour nous cacher qu'il souffre) que je n'ai pas répondu tout de suite.

(Ça aussi, c'est une chose que j'ai apprise avec lui… Cette façon sournoise qu'ont les doutes de toujours se faufiler dans les endroits les plus inattendus et les plus biscornus et surtout chez les gens qui sont beaucoup plus solides que vous.)

Je n'ai rien dit.

J'ai attendu qu'un ange passe… Puis un deuxième… Puis un troisième qui, celui-là, enfin, m'a fait un petit clin d'œil en levant le pouce, alors je me suis déhanchée pour me replacer dans son regard.

– Je te parie n'importe quoi que tu te trompes.

Et comme il ne réagissait pas, j'ai mis le paquet :

– Ho, Franck... Tu m'entends ? Reviens un peu dans mes yeux, s'il te plaît. Je te parie un Malabar bigoût que *personne* ne ricanera...

Et putain, je l'ai gagné haut la main, ce pari-là ! Haut la main ! Et j'en chiale, tiens... J'en chiale encore...

Pardon... Pardon... C'est le froid, c'est la faim c'est la fatigue... Pardon...

J'en chiale parce que c'en est pas un, qu'il aurait dû me refiler, mais un kilo ! un container ! un semi-remorque !

Oui, c'est sous une avalanche de Malabar qu'il aurait dû m'ensevelir s'il avait eu le courage de me faire confiance...

★

Ordre chronologique de la pièce oblige, nous fûmes (oui, là, je te le oye oye au passé simple pour faire genre épique) les derniers à réciter. La permission de nous éclipser cinq minutes dans le couloir pour nous changer nous fut accordée par gente dame Guillet et, quand nous revînmes en nos lieux de savoir, moi seulement vêtue de mes atours en toile de jute et de mon crucifix autour du col et lui, les hanches bien prises dans sa noble redingote à boutons dorés et botté de ses hautes chausses d'écuyer champêtre, déjà le vent sembla tourner en notre faveur.

Oui, déjà ces murmures incessants qui nous avaient si souvent pris pour cible, lui et moi, se mirent à nettement, nettement moins sentir le moisi...

Notre public nous sembla acquis et ensuite, nous fi... nous fu... merde, attends, je me repermute en v.f., sinon je vais trop misérer, et ensuite nous avons simplement redit ce que nous savions absolument par cœur à force de l'avoir rabâché encore et encore dans la petite salle à manger mortuaire de Claudine.

Sauf que nous l'avons redit beaucoup mieux.

Moi parce que j'avais le même trac que Camille et lui, parce qu'il était délivré de lui-même...

Sans nous soucier du tirage au sort, nous avons joué toute la scène 5 du deuxième acte, soit beaucoup, beaucoup, beaucoup plus que ce qui nous avait été imposé.


*Combien de fois un honnête homme peut-il aimer?*

*Si le curé de votre paroisse soufflait sur vous, et me disait que vous m'aimerez toute votre vie, aurais-je raison de le croire?*

*Lève la tête, Perdican! quel est l'homme qui ne croit à rien?*

*Vous faites votre métier de jeune homme, et vous souriez quand on vous parle de femmes désolées...*

*Est-ce donc une monnaie que votre amour, pour qu'il puisse passer ainsi de main en main jusqu'à la mort?*

*Non, ce n'est pas même une monnaie; car la plus mince pièce d'or vaut mieux que vous, et dans quelque main qu'elle passe, elle garde son effigie.*

Voilà. Voilà pour moi. Voilà ce dont je me souviens.

Et ces bribes d'inquiétude, ou ce peu de Camille qu'il me reste, je les redis dans la nuit et je les redis pour toi, petite étoile...

*Combien de fois un honnête homme peut-il aimer?*

*Lève la tête, Perdican!*

*Est-ce donc une monnaie que votre amour?*

C'est beau, hein?

Et aujourd'hui que j'ai vieilli et que j'ai toujours aimé pour la vie et que j'ai toujours quitté pour toujours, et que j'ai pleuré, et que j'ai souffert, et que j'ai fait souffrir, et que j'ai recommencé, et que je recommencerai encore, je la comprends mieux, cette petite puce...

À l'époque, j'étais tellement en état de guerre que je l'ai prise pour une chieuse, mais aujourd'hui, je sais exactement qui elle était : une orpheline.

Une orpheline comme moi qui, comme moi, crevait d'amour...

Oui, aujourd'hui, je la jouerais avec plus de tendresse...

Quant à Franck, c'est simple, il a mis le feu à la salle 204, bâtiment C, du collège Jacques-Prévert en deuxième heure de la matinée, ce jeudi d'avril de l'année je ne sais plus combien.

Affirmatif, brigadier Pimpon : le feu.

Il a virevolté, il a sautillé, il m'a taquinée, il m'a tourné autour, il a transformé le bureau de la prof en margelle de puits, il a soulevé sa chaise avant de la reposer d'un coup sec, il s'est appuyé au tableau, il a joué avec une craie, il s'est adressé à mon ombre qui s'était réfugiée entre l'armoire des dictionnaires et la sortie de secours, il s'est précipité vers les fayots du premier rang et leur a parlé comme s'il les prenait à témoin, il...

Il fut ce cavaleur, ce gamin, ce petit noble de province qui avait encore sur lui le parfum des cocottes de Paris, ce dadais, ce couillon, ce grand garçon cassant et délicat.

Et amoureux... Et fier... Et bluffeur... Et sûr de lui... Et blessé peut-être...

Oui... Blessé à mort...

Aujourd'hui que j'ai vieilli et que etc., c'est une question que je me pose aussi...

Comme Franck, Perdican devait souffrir plus qu'il n'était capable de le montrer...

Bref, tout ça pour dire que lorsque vint le moment de songer à mon Malabar plutôt qu'à ma virginité, j'entends par là, quand ces mots qui l'angoissaient tellement la veille sortirent à gros bouillons de son cœur enfin débridé (on disait ça chez nous pour les mobylettes... si tu veux qu'elles aillent genre 4 km/heure plus vite et qu'elles te pètent encore plus les oreilles, tu les débrides) quand ce fut mon tour, disais-je, de l'écouter avec bien plus d'attention que ne l'avait fait Camille en son temps parce que je savais combien il lui en coûtait de les dire, oui, quand il m'a balancé comme ça (pardon d'avance pour les erreurs, je l'ai longtemps su par cœur, mais j'ai sûrement perdu deux-trois trucs en cours de route), en me regardant droit dans les yeux et la main déjà posée sur la poignée de la porte de notre classe :

« Adieu, Camille. Retourne à ton couvent. Et lorsqu'on te fera encore de ces récits hideux qui t'ont empoisonnée, réponds ce que je vais te dire : Tous les hommes sont menteurs, inconstants, faux, bavards, hypocrites, orgueilleux ou lâches, méprisables et sensuels ; toutes les femmes sont perfides, vaniteuses, menteuses, curieuses et dépravées ; et le monde entier n'est qu'un égout sans fond où les phoques les plus informes rampent et se tordent sur des montagnes de fange ; mais il y a dans ce monde une chose sainte et sublime, c'est l'union de deux de ces êtres si imparfaits et si affreux... On est souvent trompé en amour, souvent blessé et souvent malheureux, mais on aime. Et, quand on est sur le bord de sa tombe, on se retourne pour regarder en arrière et on se dit : J'ai souffert souvent, je me suis trompé quelquefois, mais j'ai aimé. C'est moi qui ai vécu, et non pas un être factice créé par mon orgueil et mon ennui. »

Hé...
Même toi, tu t'es laissée prendre, hein ?
Alors, tu penses bien... le mot phoque, il a glissé là-dessus comme un pet sur la banquise...

Personne n'a ricané, personne.
Et personne n'a applaudi, non plus. Personne.
Et tu sais pourquoi ?
Non ? Si, bien sûr. Tu le devines, n'est-ce pas ?
Allons...
Ben, ils n'ont rien dit parce qu'ils l'avaient grave dans le cul, cette bande de petits pédés !
Ha ! Ha ! Ha !

Pardon, petite étoile, pardon... J'ai honte... C'était juste pour entendre mon rire dans la nuit... Pour me donner du courage et dire bonjour aux chouettes...

Pardon.

Je recommence :

Personne n'a applaudi parce qu'ils étaient tellement sous le choc que leurs crétins de cerveaux ne trouvaient plus le bouton « bras » sur la télécommande.

Le pire, c'était celui de la prof. Alors lui, il avait carrément fondu dans la boîte...

Sérieux, ça a duré longtemps, longtemps... 1... 2... 3... on aurait même pu compter les secondes comme un arbitre de boxe. Nous, on ne bougeait pas. On ne savait plus trop si on avait le droit de ressortir pour aller nous changer ou si on devait retourner à nos places avec nos déguisements et puis il y a eu une petite détonation dans le fond et, bien sûr, tous les autres ont suivi.

Tous. Fous. Déchaînés.

Comme un énorme pétard qui nous aurait sauté à la gueule.

Et... Oh...

Que c'était joli...

Mais le plus beau, pour moi, c'était maintenant :

Quand la cloche a sonné et qu'ils se sont tous barrés en récré, la prof est venue vers nous pendant qu'on remballait nos accessoires et elle nous a demandé si on était d'accord pour la rejouer devant ses autres classes. Et même d'autres profs et le directeur et tout ça.

Moi, je ne disais rien.

Je ne disais jamais rien à l'école, je me reposais.

Je ne disais rien, mais je ne voulais pas. Pas parce que j'avais eu le trac, mais parce que la vie m'avait appris à ne pas lui en demander de trop. Ce qu'on avait vécu là, c'était cadeau. Maintenant, voilà. Il était déballé et basta. Laissez-nous tranquilles avec. Je ne voulais pas prendre le risque de l'abîmer ou de me le faire chourer. J'avais si peu de jolies choses à moi et celle-ci je l'aimais tellement que je ne voulais plus jamais la montrer à personne.

Mme Guillet nous faisait ses petits yeux de Chapoté, mais au lieu de me flatter, ça m'a rendue un peu triste. Elle était bien comme les autres, tiens... Elle ne savait rien. Elle ne voyait rien. Elle ne comprenait rien. Elle n'avait aucune idée de... du chemin qu'on avait dû parcourir, tous les deux, pour pouvoir leur fermer leurs grandes gueules et les savater à la régulière...

Et maintenant? Qu'est-ce qu'elle croyait? Qu'on était des petits chiens savants? Ben, nan, ma grande... Ben, nan... Moi, avant d'en arriver là, j'étais dans un caveau et lui, dans un caisson. Aujourd'hui, on vous a prouvé qu'on était libres quand même, très bien, c'est plié, bonjour chez vous, mais ne comptez pas sur nous pour venir vous manger des susucres dans la main. Parce que pour nous, c'était pas une scène, vous savez...

C'était pas du théâtre, c'était pas des personnages. Pour nous, c'était Camille et Perdican, deux petits gosses de riches bien trop bavards et super égoïstes, mais qui nous avaient pris par la main quand on était dans la merde et qui venaient de nous la rendre sous vos applaudissements, alors circulez avec vos envies de spectacles, circulez. On ne joue plus et on ne jouera jamais plus pour la simple et bonne raison qu'on n'a jamais joué.

Et si vous ne l'avez pas déjà compris, c'est que vous ne le comprendrez jamais, alors... sans regret...

– Vous ne voulez pas ? elle a répété, toute déçue.

Franck m'a regardée et je lui ai fait un minuscule non de la tête. Un signe que lui seul pouvait voir. Un code. Un frémissement. Un truc de frères indiens.

Du coup, il s'est tourné vers elle et il lui a dit comme ça, genre définitif et super détendu du slip :

– Non merci. Billie n'y tient pas et je respecte sa volonté.

Et ça, vraiment, ça, ça m'a percutée de plein fouet.

Ça, j'ai encore la marque et je ferai jamais rien pour la cacher.

J'en suis trop fière…

Parce que sa gentillesse, sa patience, la gentillesse de Claudine, sa grenadine périmée depuis 1984, ses Pépito, son Banga, ses mains toutes chaudes sur ma nuque pendant qu'elle arrangeait ma robe, le silence de tout à l'heure, les applaudissements de folie, la prof qui m'avait encore jamais calculée autrement que pour m'humilier ou m'aligner des zéros et qui maintenant se tortillait devant moi pour aller faire sa belle devant le dirlo, tout ça c'était bien agréable, je ne dis pas, mais ça comptait que dalle comparé à la phrase qu'il venait de prononcer…

Que. Dalle.


« Je respecte sa volonté. »


On respectait ma volonté.

Et devant un prof en plus !

Mais… Mais moi, certains soirs, juste pour avoir de quoi bouffer, y fallait que je me batte ! Moi, y avait des matins, je ne savais même pas si mes… non, rien… Moi, le mot respect, il était tellement vide que je comprenais même pas pourquoi on l'avait inventé! Je croyais que c'était un truc à la con pour finir une lettre. Genre mes respects monsieur le président avec la signature en bas et tout ça et là... là... ce petit gars, là... ce petit Franck Mumu qui devait peser dans les cinquante kilos tout mouillé, qu'est-ce qu'y faisait? Y mettait une prof au taquet devant moi et il la forçait à me regarder d'un air suppliant?

Oh, mon Dieu. Ça c'était grand.

Ça, c'était quelque chose...

Pardon? De quoi, les ploucs? Vous voulez *encore* nous emmerder? Oh, ben, non. Non, merci. Y se trouve que Billie n'y tient pas tellement et que quelqu'un respecte sa volonté.

Ah, ça...

Ça, ça m'a mise au monde...

D'ailleurs dès que la mère Guillet a tourné les talons, moi qui n'ouvre jamais la bouche dans une salle de classe, je me suis mise à hurler. À hurler comme une bête sauvage. Soi-disant pour décapsuler, mais en fait, et je m'en rends compte seulement maintenant, ce n'était pas du tout une histoire de stress qui retombait ou de pression à évacuer, c'était le cri du nouveau-né.

J'ai hurlé, j'ai ri et j'ai vécu.

Alors, tu sais, petite étoile, je vais vraiment tout tenter pour te convaincre de nous aider encore une fois, mais si tu ne veux pas, t'inquiète, le Francky, je le sauverai quand même.

S'il le faut, je le prendrai sur mon dos et j'irai jusqu'au bout du monde en serrant les dents. Oui, s'il le faut, je me le trimbalerai jusqu'à la lune et on finira aux urgences de la planète Mars, mais en attendant, pas de souci, toi et tous les autres, vous pouvez compter sur moi pour que ma volonté soit faite.

J'avoue, j'ai un peu fait durer le plaisir jusqu'ici mais rassure-toi : la suite ira plus vite. Note, j'ai pas trop le choix, vu que les nuits sont courtes en ce moment et que je ferais mieux de me grouiller si je veux tout débobiner avant que tu disparaisses.

Mais là, tu comprends, c'était important parce que c'était la première saison. Genre la mise en place et tout ça. Après ce seront juste des épisodes plus ou moins réussis qui s'enchaîneront jusqu'à toi.

En plus, tu les connais déjà…

T'étais là…

Si…

T'étais là.

Bon, des fois, c'est vrai, t'étais distraite, mais je le sais, que tu étais avec nous. Je le sais.

Pour le premier épisode, je me suis appliquée parce qu'on ne radine pas avec notre rencontre.

Le cœur de notre amitié est enfermé dans cette scène. Tout y est, d'ailleurs, tout... Notre façon d'être, de ne pas être, d'en baver, de papoter, de nous aider et de nous aimer. Comme je l'ai dit à Francky un jour, nous c'est les vases communicants sauf que c'est de la vraie vase à l'intérieur, donc oui, c'était important pour moi de bien te raconter nos débuts dans la vie...

Et puis ça va, hein ? Y en a bien qui te pondent des bouquins en six volumes sur leur enfance et encore quatre de plus sur leur première capote, moi, je te plie le truc en une scène, admets que c'est correct.

\*

Je ne dis pas que tout a été plus facile ensuite, mais on était deux, donc si, je le dis : tout a été plus facile ensuite. En récré, déjà, on nous appelait Camille et Perdican. Hé ? ça nous posait, non ?

Justement parce que nous n'avions pas voulu le répéter, notre exploit est devenu un genre de truc mythique et ceux qui étaient absents ce jour-là parce qu'ils étaient malades ou je ne sais quoi, d'après les autres, c'était comme s'ils avaient raté une épreuve olympique où la France aurait topé l'or.

Les kilomètres de phrases hyper ornementées que la morveuse aux caravanes savait sur le fil du rasoir, la colère de Franck Mumu qui expliquait d'une voix de killer comment l'amour ça vous déchirait une femme et nos super beaux costumes sur mesure, c'était devenu énorme. Je n'ai pas eu de meilleures notes pour autant ni Franck plus d'amis, mais bon, au lieu de nous insulter, on nous ignorait. Alors merci Alfred de Musset, merci.

(Même si, j'insiste, t'étais pas obligé de buter la petite Rosette pour servir ta cause.) (Si tous les cocus en faisaient autant, y aurait plus grand monde d'intéressant sur cette planète...)

★

Franck et moi, on n'est pas devenus inséparables parce que trop de choses nous séparaient encore : son père totalement barré qui avait transformé son chômage longue durée en crise de paranoïa aiguë et qui passait toutes ses journées sur Internet à échanger des informations top secrètes avec ses amis légionnaires de la chrétienté, sa mère qui gobait des kilos de médocs pour oublier qu'elle vivait avec un barjot pareil, mon père à moi qui n'avait pas besoin d'un ordinateur pour avoir l'impression d'être un genre de légionnaire en service commandé et mon éponge de belle-mère avec toute sa clique de rats, de rates et de ratons qui ne faisaient que de gueuler toute la journée. On avait beau essayer de faire les fiers, tout ce merdier, ça nous plombait bien le cul quand même...

Pardon pour ma grossièreté. Toute cette fatalité, ça nous plombait bien nos ailes de mignons petits pioupious largués dans les mauvais nids quand même...

En plus, moi, parce que j'étais plus faible que lui, j'essayais toujours de rentrer dans des groupes et de me faire aimer des autres, alors que lui, c'était un solitaire. Lui, c'était le héros de la chanson de Jean-Jacques Goldman : il marchait seul sans témoin sans personne, que ses pas qui résonnent et la nuit qui pardonne et tout ça.

Sa solitude, c'était sa béquille, comme moi, mes bandes de filles à la con.

Une fois ou deux, au début, j'avais essayé de venir lui parler pendant la récré ou de m'asseoir à côté de lui à la cantine mais, même s'il était toujours gentil avec moi, je sentais que je le troublais en surface alors j'ai pas insisté.

On ne se parlait que le mercredi midi parce qu'il allait déjeuner chez Claudine et que, du coup, je ne prenais pas le car pour faire un bout de chemin avec lui.

Au début, elle m'invitait à rester, mais comme je répondais toujours non, elle aussi a fini par ne plus insister.

Je ne sais pas pourquoi je refusais. Toujours cette histoire de cadeau trop beau et bien remballé, je crois... J'avais peur, si je revenais dans cette maison, d'abîmer des choses. Ces vacances de Pâques, c'était mon seul beau souvenir et je n'étais pas encore prête à le sortir de sa vitrine.

Là, tu ne t'en rends pas trop compte parce qu'y a que moi qui jacte vu que Francky comate et que j'ai appris à l'ouvrir entre-temps, mais à l'époque, j'étais très peureuse.

Très, très peureuse...

C'était pas comme si j'avais été vraiment tabassée dans mon enfance, genre au point de finir en première page du magazine *Détective* ou quoi, mais j'étais tout le temps *un petit peu* tapée.

Tout le temps, tout le temps, tout le temps...

Une petite claque par-ci, une petite claque par-là, un petit gnon par en dessous, un petit coup de pied dans les jambes quand je me trouvais dans le passage ou quand je m'y trouvais pas, des mains toujours levées pour faire genre attends que j't'en colle une et tout ça, et ça m'avait... comment dire ?

Un jour, je me souviens, j'avais lu en cachette, dans une brochure du CDI, un truc sur l'alcool qui disait que, bien sûr, il ne fallait pas boire, mais que si tu prenais genre une grosse cuite un soir, c'était comme de jeter un seau d'eau sur un plancher : c'était pas top, mais bon, après tu passais un coup de serpillière vite fait, le plancher séchait et on n'en parlait plus, alors que l'alcoolisme, même bien caché et même sous contrôle, c'était comme un goutte-à-goutte et que, petit à petit, goutte d'eau après goutte d'eau, à la fin t'avais forcément un trou dans le bois. Et même dans le plus solide…

Eh ben, c'était ça, les petites claques et les petits bleus que je me récoltais non-stop depuis que j'étais gamine… Ça m'envoyait pas dans les faits divers ou dans les dossiers des assistantes cassos, mais ça m'avait perforé la tête. Et c'était pour ça que j'étais si peureuse : n'importe quel petit courant d'air me passait au travers et m'envoyait direct dinguer dans les choux. Et Franck, à ce moment-là, il n'était pas assez solide non plus pour me colmater comme il faut. Donc, on était très précautionneux l'un avec l'autre. On s'appréciait, mais on ne se collait pas de trop pour éviter de se porter encore plus la poisse.

Mais ça allait parce que tout ça, encore une fois, on le savait.

On savait qu'entre nous, ce n'était pas du mépris ou de l'indifférence, mais de la précaution et qu'on ne pouvait plus se le montrer, mais qu'on était toujours amis.

Lui, il le savait parce que quand je le sentais un peu plus triste que seul ou un peu plus déprimé que rêveur, je me mettais en face de lui et je lui disais comme ça : « Lève la tête, Perdican ! » et moi, je le savais parce que même s'il en a eu parfois l'envie ou la curiosité, il ne m'a jamais proposé de me raccompagner jusque chez moi. Et puis, il ne me posait jamais de questions trop précises. Il était poli, il était respectueux, il était discret. Comme dirait son père, il devait s'en douter que vers chez les Morilles, c'était pas trop le berceau de la chrétienté…

La demi-heure de route que nous partagions le mercredi nous permettait de faire front tout le reste de la semaine. Nous ne nous parlions pas vraiment, mais nous étions ensemble et nous marchions vers d'anciens bons moments.

Et ça, c'était bien.

Ça nous tenait.

★

C'est vers la moitié du mois de juin que j'ai commencé à baliser : je n'avais pas eu mon passage en seconde, même pro, et lui, il allait partir en pension pour être dans un meilleur lycée.

Ça faisait un petit moment que toutes ces angoisses me tournoyaient au-dessus de la tête d'un air menaçant et je m'arrangeais toujours pour regarder ailleurs, mais là, ça y était, c'était écrit. Sur mon bulletin : « passage refusé » et sur la lettre qu'il venait de me montrer, tout content : « place à l'internat réservée ».

Et bing. Encore un coup de poing dans le ventre.

Ce jour-là, je me souviens, j'avais demandé à Claudine si je pouvais rester manger avec eux et c'était idiot parce que je n'avais rien pu avaler du tout.

Je disais la vérité, que j'avais mal au ventre, et Claudine me pardonnait vu que c'était normal pour une fille de mon âge d'avoir mal au ventre, mais elle se trompait, bien sûr... Ce n'était pas à ce ventre-là que j'avais mal...

*

Heureusement, il nous restait encore un beau souvenir à partager avant la fin de l'année : la sortie de classe à Paris...

C'était la dernière semaine avant les révisions pour le brevet et on nous avait traînés au musée du Louvre avec les neuneus de notre classe et ceux de 3e B. Tous ces crétins qui n'avaient fait que de se prendre en photo eux-mêmes et de regarder les photos débiles qu'ils venaient de prendre alors qu'il y avait tant de choses tellement plus belles à engranger...

Franck et moi, on s'était assis l'un à côté de l'autre dans le car parce qu'on était les deux seuls tout seuls.

Pendant le trajet, il m'a prêté l'un de ses écouteurs. Il avait préparé une compil pour l'occasion et j'ai pu enfin l'entendre, sa fameuse Billie Holiday... Elle avait une voix si claire que c'était la première fois que je comprenais certains mots dans des chansons en anglais... *Don't Explain*... Celle-ci, elle était vraiment belle, hein ? Vraiment triste, mais vraiment belle... On en a écouté quelques-unes à la suite et puis ça a été la pause pipi sur l'autoroute alors il a récupéré son bidule et on est allés traîner chacun de notre côté pour nous donner du mou.

Quand le car a redémarré, il m'a raconté des choses sur la voix qu'on venait d'entendre. Il me les a racontées, comme ça, à la loose, façon petits potins du *Oops* de l'époque et, bien sûr, je l'ai pris comme ça aussi. Genre Ah, oui ? Ah, bon ? Ah, tiens ? Mais bien sûr, une fois encore, lui et moi, on savait très bien ce qui était en train de se passer entre nous. Ou de passer entre nous, je devrais dire.

C'était comme mon explication débile pour décider lequel de nous deux devait jouer Camille, les mots qu'on employait n'étaient pas les bons, mais ils faisaient bien leur boulot de mots quand même...

Qu'est-ce qu'il m'a raconté sur la très belle voix qu'on venait d'entendre, qui était l'une des plus connues du monde, qui avait ému des millions de gens depuis l'invention du jazz et que deux petits collégiens ruraux écoutaient encore dans le fond d'un car en se serrant l'un contre l'autre plus de cinquante ans après sa mort?

Hof...

Pas grand-chose...

Que sa mère avait été foutue dehors par ses parents à l'âge de treize ans parce qu'elle était enceinte, qu'elle-même avait eu une enfance insurmontable, qu'elle était restée longtemps muette parce que sa grand-mère qu'elle adorait était morte dans ses bras, qu'elle s'était fait violer à dix ans, une nuit, par un gentil voisin, qu'elle avait été envoyée dans un genre de foyer où elle avait été torturée et tabassée, qu'elle avait fini dans un bordel avec sa mère alcoolique et, qu'elle aussi, avait dû passer à la casserole plus souvent que prévu, mais que bon... allez comprendre... ça l'avait fait quand même au bout du compte...

Que sa vie, en plus d'être immortelle, avait pris une belle forme de majeur bien, bien dressé vers le ciel.

Don't explain, hein?

Ce qui était bien, c'est que juste après, sur sa compil, y avait *I Will Survive*, *Brothers in Arms* et *Billie Jean* spéciale dédicace to soldat Bibi alors ça nous a permis de la quitter en douceur.

T'entends, petite étoile? T'entends qui il est, mon ami? Tu le vois, mon petit prince, de là où t'es ou y te faut une paire de jumelles?

Si tu le vois comme je te le raconte, c'est-à-dire de très près et sans le moindre accroc et que tu le laisses souffrir inutilement, il faudra vraiment que tu prennes un peu de temps pour m'expliquer tes raisons parce que là, je t'avoue, j'ai encaissé beaucoup de choses dans la vie, beaucoup, beaucoup de choses, mais sur ce coup-ci, va savoir, je sens déjà que j'aurai un peu de mal à la faire, la photosynthèse...

★

Moi, à l'époque, j'étais encore trop arriérée, mais pour Franck, Paris, ce jour-là, ça a été un choc.

Pourquoi *un*? *Le* choc. Le choc de sa vie.

Il y était déjà allé plusieurs fois pour des spectacles payés par le comité d'entreprise de sa mère, mais c'était toujours au moment de Noël, donc de nuit et au pas de course et, en plus, avec son père qui passait son temps à leur montrer des immeubles en leur expliquant grâce à quelles magouilles tel ou tel juif les avait spoliés (ce mec est fou comme un lapin), et il en avait gardé un assez mauvais souvenir...

Mais là, en cette belle journée de juin, et avec sa petite Billie à ses côtés qui croyait qu'un franc-maçon, c'était un Portugais honnête et qui lui pointait du doigt des tas de jolis détails à prendre en souvenir, ça l'a complètement chamboulé du ciboulot.

Le Franck du car de l'aller et le Franck du car du retour n'avaient rien à voir entre eux. Quand on a repris la route vers notre morne adolescence, il n'a plus parlé, il m'a laissé ses deux écouteurs et le reste de ses becs et il a passé tout le trajet à rêvasser en regardant la nuit par la fenêtre...

Il était tombé amoureux.

Le palais du Louvre, la Pyramide, la place de la Concorde, les Champs-Élysées, je le regardais qui les admirait et j'avais l'impression de voir Wendy et ses petits frères quand ils survolaient Londres avec Peter Pan. Il ne savait plus où donner des yeux tellement tout l'émerveillait.

Plus que les monuments, je crois que c'est surtout les gens qui lui avaient pelé le cœur... Les gens, leur façon de s'habiller, de traverser n'importe comment, de danser entre les voitures, de parler fort, de rire entre eux, de marcher vite...

Les gens assis aux terrasses des cafés qui nous regardaient passer en souriant, les gens super chic ou en costume de bureau qui pique-niquaient sur des bancs dans le jardin des

Tuileries ou qui bronzaient au bord de la Seine avec leur attaché-case en oreiller, les gens qui lisaient des journaux debout dans les autobus sans se tenir à rien, ceux qui passaient devant les cages du quai Bidule sans même se rendre compte qu'il y avait des perruches à l'intérieur tellement leur vie avait l'air plus intéressante que des perruches, ceux qui parlaient, qui riaient ou qui s'énervaient au téléphone tout en pédalant au soleil et ceux qui entraient ou qui sortaient de boutiques super classe sans rien acheter comme si c'était normal. Comme si les vendeuses étaient juste payées pour ça, pour leur sourire en serrant les dents.

Oh là là, oui... Tout ça, c'était beaucoup d'émotions pour mon Francky et les Parisiens au printemps, ce fut sa Joconde à lui...

À un moment, alors que nous nous trouvions sur un pont, ou plutôt un genre de passerelle, au-dessus de la Seine et que, partout alentour et où que nous tournions la tête, la vue était mortelle : Notre-Dame, ma fameuse *Académie* française de nos répétitions, la tour Eiffel, les beaux immeubles tout sculptés le long des quais, le musée je ne sais plus quoi et tout ça, oui, alors que nous nous démanchions le cou pendant que tous les autres bouseux qui nous accompagnaient étaient en mode zoom sur les cadenas des touristes amoureux accrochés aux balustrades, j'ai eu envie de lui faire un serment...

J'ai eu envie de lui prendre la main ou le bras pendant qu'il regardait toute cette beauté en salivant comme un pauvre chien tout maigre devant un énorme os super juteux mais définitivement hors de sa portée et lui dire tout bas :

On reviendra... Je te promets qu'on reviendra... Lève la tête, Franck! Je te promets qu'on reviendra un jour... Et pour toujours... Et qu'on habitera ici, nous aussi... Je te promets qu'un matin, ce pont, tu le traverseras comme si t'allais chez Faugeret (c'était le nom de notre boulanger) et que tu seras tellement occupé avec ton super téléphone tout plat toi aussi que tu ne verras même plus tout ça... Enfin, si, tu le verras encore, mais tu baveras moins qu'aujourd'hui parce que tu l'auras déjà bien rongé... Allons, Franck! quel est l'homme qui ne croit en rien? Puisque c'est moi qui te le jure... moi... moi qui te dois tant... Tu peux me faire confiance, n'est-ce pas?

Mon frère chéri, ta famille et les Prévert t'ont donné leur expérience, mais crois-moi, ce n'est pas la tienne et tu ne mourras pas sans déménager.

Oui, j'ai ressenti cette terrible envie de lui promettre cette certitude d'un futur en forme de carte postale, mais, bien sûr, je me suis tue.

Pour moi, l'os il n'était pas hors de portée, il était carrément hors de ma vie. Moi, y avait très peu de chances que je revienne un jour par ici... Et même aucune chance du tout.

Alors j'ai fait comme lui : j'ai regardé la vue et j'y ai accroché une sorte de cadenas imaginaire avec nos deux initiales gravées dessus.

★

Voilà pour notre dernier bon moment de la saison 1.

Je te la récapitule pour le résumé du début de la suivante : les héros, c'est nous, le décor, il est merdique, l'action, y en a pas eu beaucoup et y en aura plus avant longtemps, les personnages secondaires, on s'en fout, les perspectives d'avenir, elles sont nulles, en tout cas pour la fille, et des raisons pour que ça continue quand même, y en a aucune.

Et alors ? Tu ne dis rien ?

Hé... Tu t'es endormie ou quoi ?

Lève la tête, petite étoile !

Y en a une, de raison ! Et tu le sais bien parce que c'est justement à cause d'elle que je te tiens la pointe depuis des plombes !

La raison, elle est toute con et j'ose à peine la dire. La raison, c'est l'amour.

Après ça devient plus triste et je vais passer vite.
Après, tu regardais ailleurs...

D'abord il y a eu les vacances d'été qui nous ont
séparés un peu (on s'est vus trois fois en deux
mois dont une par hasard et super mal à l'aise
parce que sa mère était dans les parages) et ensuite
il y a eu son lycée qui nous a séparés tout court.

Il était loin et moi... moi, pendant ce temps-là,
j'ai redoublé, j'ai pris des nénés et je me suis mise
à fumer.
Pour me payer mes clopes, j'ai commencé à
déconner et pour que mes nénés servent à quelque
chose, je me suis maquée.
Oui... maquée... y a un garçon qu'est passé
par là, il avait une moto, il pouvait m'arracher
des Morilles de temps en temps, il travaillait dans
un garage, il n'était pas plus gentil que ça, mais il

n'était pas méchant non plus, il n'était pas très beau et une fille comme moi, pour tirer son coup peinard, il pouvait pas espérer beaucoup mieux. Il habitait encore chez ses parents, mais dans une caravane au fond de leur jardin et ça tombait bien parce que moi, les caravanes, c'était mon élément, alors j'ai pris un sac d'habits et je suis venue m'installer dedans.

Je l'ai nettoyée, je me suis assise à l'intérieur et j'ai fait comme lui : j'ai cloporté dans le fond du jardin.

Du jardin de ses parents…

De ses parents qui ne voulaient pas me parler parce que j'étais un trop mauvais parti…

Lui, il avait le droit de prendre ses repas chez eux, mais moi, non. Moi, y me rapportait une gamelle.

Ça le gênait un peu, mais comme il disait : c'était que du provisoire, hein?

T'étais où petite étoile?

Oh… Il faut que je passe vite sur ces moments de mon passé parce que ça me rappelle trop mon moment du présent…

Parce que, tu sais… je déroule, je déroule, mais j'ai vraiment froid en t'attendant…

J'ai vraiment froid, j'ai vraiment soif, j'ai vraiment faim et j'ai vraiment mal.

J'ai mal au bras et j'ai mal à mon ami.
J'ai mal à mon Francky tout cassé…
Et j'ai encore envie de pleurer.
Alors je pleure.
Hé, mais c'est que du provisoire, hein ?

Tout à coup, ça me revient, petite étoile, M. Dumont, y m'a pas seulement appris que j'étais originaire du quart monde de la France, il m'a aussi fait recopier quelque part que t'étais morte…

Que t'étais morte depuis des milliards d'années et que ce n'était pas toi que j'étais en train de regarder en ce moment, mais des restes de toi. Des restes de ton fantôme. Un genre d'hologramme. Une hallucination.

C'est vrai ?

On est vraiment tout seuls, alors ?

On est vraiment perdus, tous les deux ?

Je pleure.

Moi, quand je mourrai, y aura même plus une trace de ma présence après moi. Moi, ma lumière, à part Franck, personne l'a jamais vue et s'il meurt avant moi, ce sera fini. Je m'éteindrai aussi.

Je cherche sa main et je la serre fort. Le plus fort que je peux.

S'il s'en va, je pars avec lui. Jamais je ne la lâcherai, jamais. Il faut qu'il me sauve encore une fois... Il l'a déjà fait tellement souvent qu'il en est plus à un hélitreuillage près... Je ne veux pas rester ici sans lui. Je ne veux pas parce que je ne pourrais pas.

Le quart monde, j'ai fait semblant que si, mais j'en suis jamais partie, en vrai, j'ai essayé pourtant, j'ai essayé de tout mon cœur. De toute ma vie. Mais c'est comme un tatouage raté, cette merde, à moins de te couper le bras, tu te le coltines jusqu'à ce que les vers le bouffent.

Que ça me plaise ou non, j'étais née Morilles et je finirais Morilles. Et si Franck m'abandonne, je ferais exactement comme ma belle-mère et tous les autres : je boirais. Je ferais un trou dans mon plancher et je l'agrandirais jusqu'à ce qu'il ne subsiste plus rien d'humain en moi. Rien qui rit, rien qui pleure, rien qui souffre. Rien qui pourrait me faire prendre le risque de relever la tête une dernière fois et de me manger encore une grande tarte dans la gueule.

J'ai fait croire à Francky que j'avais fait reset, mais c'était des conneries tout ça. J'ai rien fait du tout. Je lui ai juste fait confiance. Je lui ai juste fait confiance parce que c'était lui et qu'il était là, mais sans lui, ça tiendrait pas une minute un bobard pareil. Je peux pas faire reset. Je *ne* peux pas. Mon enfance, c'est un poison que j'ai dans le sang et y a que quand je serai morte que j'en souffrirai plus. Mon enfance, c'est moi, et comme mon enfance ne vaut rien, moi, derrière, j'ai beau essayer de la contrecarrer de toutes mes forces, je ne fais jamais le poids.

J'ai froid, j'ai faim, j'ai soif et je pleure. Et j'en ai rien à foutre de ta gueule, petite étoile de mes deux qui n'existes même pas en rêve. Je ne veux plus te voir. Plus jamais.

Je me tourne vers Franck et, comme un chien, comme Croc-Blanc quand il retrouve son maître, je coince ma truffe sous son bras et je ne bouge plus d'un poil.

Je veux plus jamais retourner vivre dans une caravane. Je veux plus jamais finir les restes des autres gens. Je veux plus jamais continuer à me faire croire que je suis autre chose que moi-même. C'est trop fatigant de mentir tout le temps. Trop, trop fatigant... Moi, ma mère, elle est partie quand j'avais même pas un an et elle est partie parce que je ne faisais que de pleurer. Elle en avait marre de son bébé. Eh ben, elle a eu raison parce qu'après tant d'années, j'ai pas progressé d'un pas : je suis toujours la même petite fille chiante qui pleure toute la nuit...

Je lui ai pardonné de m'avoir abandonnée. J'ai cru comprendre qu'elle était encore mineure et ça devait être impossible pour elle, d'imaginer le reste de sa vie aux Morilles avec mon père, mais... mais le truc qui m'empêche de l'oublier complètement, c'est de me demander si elle pense à moi quelquefois...

Juste ça.

J'ai cessé de broyer sa main pour changer de position car même si je voulais bien mourir dans la minute, j'en avais marre d'avoir mal au bras dans la seconde et, juste au moment où j'étais en train de me remettre sur le dos, le voilà-t-y pas qui me la serre à son tour...

– Franck ? C'est toi ? T'es là ? Tu dors ? T'es dans les pommes ou quoi ? Tu m'entends ?

J'ai collé mon oreille contre sa bouche des fois qu'il serait trop faible pour me répondre distinctement et aussi pour faire comme dans les films, genre avec le pépé mourant qui murmure dans un dernier filet de souffle où il a caché son trésor et tout ça.

Mais non... Ses lèvres restaient immobiles... Sa main en revanche, sa main continuait de serrer la mienne... Pas beaucoup. À peine. À peine une étreinte de souris, mais pour lui, ça devait être maousse...

Sa main était trop faible et ne serrait rien du tout, mais ses doigts comateux me pressaient un peu. Ses doigts, dans un dernier filet de nerf, me disaient : Mais tu ne vois pas qu'il est là ton trésor, grosse truffe ! T'arrêtes de chialer, oui ! Tu sais que tu commences à nous les briser avec ton enfance malheureuse? Tu veux que je te parle de la mienne, un peu? Tu veux que je te raconte l'effet que ça fait de grandir avec une mère sous antidépresseurs et un père sous anti-le-monde-entier? Tu veux que je te raconte ce que c'est, de vivre dans la haine en permanence? Tu veux que je te raconte ce que ça fait d'être le fils de Jean-Bernard Muller et de se rendre compte à huit ans qu'on n'aimera jamais que des garçons? Tu veux?

Tu veux que je te la redise, cette boucherie-là? Ce carnage? Cette terreur domestique? Alors, arrête deux minutes, s'il te plaît. Arrête. Et lâche-nous avec ton étoile de pacotille, là... Y a *pas* de bonne étoile. Y a *pas* de ciel. Y a *pas* de Dieu. Y a personne d'autre que nous sur cette putain de planète et je te l'ai déjà répété mille fois : Nous, nous, nous et re-nous. Alors arrête d'aller toujours piocher dans tes souvenirs de merde ou ta cosmogonie de bonne femme quand ça t'arrange. Je déteste quand tu es comme ça. Je déteste quand tu te vautres dans ce genre de complaisance facile. C'est à la portée de tout le monde de jeter l'anathème sur d'autres failles que les siennes, tu le sais? Et je déteste te savoir comme tout le monde... Pas toi... Pas elle... Pas ma Billie à moi... Le monde n'est qu'un égout sans fond où les familles les plus informes rampent et se tordent sur des montagnes de fange, mais il y a pour nous une chose sainte et sublime qu'elles n'ont pas et qu'elles ne nous prendront jamais : le courage. Le courage, Billie... Le courage de ne pas leur ressembler... Le courage de les surmonter et de les oublier pour toujours. Alors cesse de pleurer *immédiatement* ou je te plante là et je me barre direct avec mes deux brancardiers super bien montés.

Oh là là... Il avait l'air vraiment fâché, hein? Oh là là que tu es nerveux, Perdican, lorsque tes doigts s'animent... Oh là là... et... euh... c'est quoi une cosmogonie? et un anathème? C'est un genre de fleur? Oh là là... Je me la boucle, moi...

★

Bon, petite étoile... Approche un peu parce que je veux pas que Francky entende... Alors... euh... on se résume : donc... chut... donc, t'es là, mais c'est plus toi et t'existes pas, mais t'existes quand même, OK? Si Franck ne croit pas en toi, c'est son problème, mais moi, je me suis habituée à ta compagnie, alors je continue de te raconter mon petit feuilleton en cachette, d'ac?

D'ac, elle a scintillé.

★

Où j'en étais déjà ? Ah, oui... dans la caravane toute pourrie de Jason Gibaud... Oh, mon Dieu... mais qu'est-ce que ça puait là-dedans ! Un mélange de pieds, de tabac froid, de vieux coussins moisis et tout ça. Ah ! On peut dire que j'en aurais chouré des bombes de Oust, à cette époque !

J'étais là. Je séchais les cours. J'étais assise sur le marchepied côté cabanon pour ne pas que ses parents me voient et je fumais des cigarettes.

Quand j'avais le moral à zéro, je me disais que ma vie était finie et que je ferais aussi bien d'allumer la télé et le Butagaz et de le téter une bonne fois pour toutes en regardant *Les Feux de l'amour* et quand y avait un rayon de soleil, je me disais que j'étais comme Camille... Que j'étais juste en train de croupir dans un genre de couvent en attendant ma majorité et que, d'une façon ou d'une autre, les choses allaient forcément bouger un jour... Je ne voyais pas trop comment, mais bon, c'est ça un rayon de soleil : ça te permet de fermer les yeux et d'y croire un peu...

Y a eu ce Jason et y en a eu d'autres, évidemment. Quand ses parents ont fini par trop criser, j'ai repris mon sac d'habits et je suis allée faire peur à d'autres vieux.

Un jour, bien plus tard, mais dans ces eaux-là, j'ai croisé Franck en ville. Je sais qu'il m'a vue, mais il a fait semblant d'être occupé ailleurs et je lui en ai été très reconnaissante.

Parce que ce n'était pas moi, la fille hyper vulgaire qui traînait au marché, ce jour-là. Habillée en pouf, montée sur échasses et maquillée comme une voiture volée. Non, c'était pas la Billie dont on avait envie de respecter la volonté, c'était... un genre de pute...

Eh oui, il faut dire les choses comme elles étaient, petite étoile... Ces années passées dans la plus merdique des salles d'attente, ce n'était pas à la Camille de Perdican qu'elles me faisaient penser, mais plutôt à la Billie Holiday de sa mère...

Bien sûr que je faisais la pute, bien sûr... Je le savais... Mais quoi? J'avais découvert qu'avec mon corps, je pouvais obtenir une certaine tranquillité, de quoi bouffer et même... même... en cherchant bien, un peu d'affection. Alors... J'aurais été bien conne de m'en priver, non? Je ne les aimais pas des masses, tous ces garçons qui me permettaient de vivre loin des Morilles, mais je ne prenais pas les pires non plus... Et puis... entre pute chez les riches et pute chez les pauvres, y a pas une si grande différence que ça, si? Après, c'est juste une question de nombre d'habits... Les miens, y tenaient dans un sac Auchan et y en avait d'autres, c'était dans des beaux dressings, mais bon... à chacune sa jauge et ses profits, pas vrai?

Moi, je faisais comme je pouvais et, en attendant de pouvoir faire autrement, je faisais avec mon cul.

J'étais obsédée par mes dix-huit ans. Pas parce que ça m'aurait permis de passer mon permis et de rouler en Mini (ha ha) ou d'aller jouer au casino (ha ha ha), mais parce que je savais que je serais plus détendue pour aller voler dans les magasins. Là, si je me faisais choper, c'était forcément mon père qu'on aurait appelé et ça, non. Ça, c'était retour direct à la case enfer. Du coup, je ne piquais que des petits trucs et c'était plus long pour moi que pour d'autres de me faire respecter.

Voilà. C'était ça, ma vie et c'était ça, mes grands projets d'avenir…

Donc oui, que Franck Mumu ait fait semblant de ne pas m'apercevoir c'était classe de sa part…

Depuis, je lui ai reparlé plusieurs fois de ce jour-là, de cet instant tellement étrange où j'ai connu la honte et le soulagement dans la même seconde et il continue de me jurer qu'il ne m'avait vraiment pas vue. Mais moi, je sais que si, et je le sais à cause de Claudine…

Encore plus tard, un matin, je l'ai croisée dans un café. J'achetais des clopes et elle des timbres fiscaux. Bien sûr, elle m'a souri et tout, mais j'ai vu dans son regard le chemin décevant que j'avais parcouru depuis le temps de nos répétitions.

Oui. Je l'ai vu. Ce fut rapide et bien vite camouflé, mais moi, à cause de mon enfance en self-défensive, je suis très forte pour détecter les moindres pensées secrètes dans le regard des gens qui m'envisagent. Très très forte… Elle m'a embrassée comme si de rien n'était, elle m'a dit en riant qu'elle n'était pas d'accord pour me payer ma drogue, mais qu'elle voulait bien m'offrir une Chupa Chups et un truc à gratter si je voulais et que je n'avais qu'à les choisir et là… là, elle a dû le voir, sous mes cils de pétasse chargés à mort au mascara chouré, que j'étais déjà au bord des larmes tellement ça faisait longtemps que personne ne m'avait fait de cadeau… Oui. Elle l'a vu, mais au lieu de faire genre : Oh, ma petite chérie… Oh que la vie est dure avec toi… et Oh que tu es méconnaissable dans ce déguisement qui te va si mal et qui te vieillit tant, elle a ajouté un truc qui voulait dire exactement la même chose, mais en bien plus beau…

Oui, au moment de nous séparer dans la rue, elle a fait celle qui venait juste de s'en souvenir et elle m'a lâché comme ça :

– Dis donc, ma petite Billie… Il faudrait que tu passes à la maison un de ces jours parce que j'ai une lettre pour toi… Et même deux, je crois…

– Une lettre, j'ai fait, mais une lettre de qui ?

Elle était déjà loin quand elle a ajouté en criant
à moitié :
– De ton Perdicaaan !

Et je pleure.
Mais là, je peux, hein ?

Oui.
Là, je peux.
Parce que c'est de la bonne larme ça, madame…

J'ai attendu plusieurs jours avant d'aller la voir.

Je ne sais plus ce que je m'inventais encore comme raisons, mais la seule de réglo, c'est que j'avais peur. J'avais peur de retourner chez elle toute seule, j'avais peur d'y retourner tout court et surtout, j'avais peur de ce que Franck avait à me dire. Est-ce qu'il allait me demander si c'était bien moi, la roulure qu'il avait aperçue l'autre jour devant le marchand de poulets? Est-ce qu'il allait me demander combien de mecs il fallait que je suce pour avoir un beau blouson en cuir comme celui-là? Est-ce qu'il allait me dire qu'il était déçu et qu'il préférait ne plus jamais me revoir tellement je lui faisais honte?

Oui, j'avais peur et j'ai attendu au moins cinq jours avant d'oser frapper à sa porte…

J'y suis allée en mode Billie d'autrefois, c'est-à-dire à pied, en jean et sans maquillage. Bien sûr, c'était sûrement qu'un détail pour elle, mais pour moi, non. Pour moi, c'était comme un retour heureux en enfance heureuse.

Je ne me souvenais même plus de la tête qu'avait mon visage sans toutes les saloperies que j'y plâtrais pour me cacher derrière. Oui, j'avais peur d'aller chez Claudine, mais en me faisant une queue-de-cheval, ce jour-là, je me suis souri dans la glace. Pas parce que je me trouvais belle, mais parce que j'avais l'air d'une gamine et… oh… que ça m'avait fait du bien, ce petit sourire imprévu.

Que ça m'avait fait du bien…

★

C'était vraiment mon nom sur les enveloppes… Mademoiselle Billie chez madame Claudine Truc et tout ça.

*Mademoiselle* Billie…

Purée, ça m'a fait bizarre… C'était la première fois de ma vie que je recevais une lettre… *Des* lettres, même ! La première fois… Avec un vrai timbre, une vraie enveloppe et une vraie écriture d'être humain.

Bien sûr, je ne suis pas restée. Je ne voulais pas les ouvrir devant elle et même, je crois que je ne voulais pas les ouvrir du tout. Elles aussi, je voulais les ranger direct dans ma vitrine et les garder non déballées pour toujours.

Je les ai mises dans ma poche et j'ai marché.

J'ai marché sans savoir où j'allais. Enfin, ma tête ne savait pas, mais mes jambes, si. Comme elles sont plus intelligentes que moi, de détour en détour, elles ont fini par me conduire jusque dans mon caveau de Camille…
J'ai poussé la vieille porte, je m'y suis faufilée et je me suis rassise sous le petit autel comme autrefois.

L'oubli, le calme, le silence, les dessins du lichen, le chant des oiseaux, le vent qui secouait les chaînes rouillées et tout ça, ça m'a fait tellement de bien aussi… Ça me rappelait la petite Billie qui ne couchait pas encore à tour de bras et qui voulait ressembler à une fille beaucoup plus noble qu'elle… Ça me rappelait un moment de ma vie où j'apprenais par cœur et facilement des sentiments qui étaient beaux et qui me faisaient croire que j'avais du potentiel pour la suite.
Si y avait eu un psy dans les parages, il aurait sûrement fait tout un discours comme quoi j'étais recroquevillée là-dedans comme dans le ventre de ma mère ou je ne sais quelle connerie dans le genre, mais y avait pas de psy. Y avait juste les lettres de Franck Mumu et c'était quand même vachement plus efficace…

J'étais bien. Je me suis oubliée et je me suis même un peu endormie.

Au bout d'un moment, j'ai fini par les ouvrir dans l'ordre de leur arrivée. La première était écrite sur une copie simple à grands carreaux et elle disait :

*Salut Billie. J'espère que tu vas bien, moi je vais bien. Tu sais, je n'ai plus trop le temps d'aller voir ma grand-mère le week-end et je pense que ça lui manque alors j'ai décidé de t'écrire chez elle toutes les semaines comme ça, toi t'iras la voir pour moi. Merci de me rendre ce service. J'espère que ça ne t'embête pas trop. Bisou, F.*

La seconde, c'était une carte postale moche de sa ville, avec l'église, le château et tout ça :

*Salut Billie. J'espère que tu vas bien, moi ça va. Dis à Claudine que j'ai bien reçu son paquet. Bisou, F.*

Je les ai remises dans leurs enveloppes et j'ai eu envie de pleurer de gratitude. Parce que d'accord, j'étais conne, tout le monde me le faisait assez comprendre depuis que j'étais née, mais là, je voyais très bien ce qui se cachait derrière cette entourloupe. Franck m'avait aperçue en pute et ça lui avait fait pitié, du coup il avait inventé quelque chose avec sa mamie pour que je ne perde pas complètement le contact avec moi-même.

Oui, tout ça, c'était juste pour m'obliger à me

démaquiller une fois par semaine et à aller boire un verre de grenadine ou d'Orangina dans une petite maison qui m'aimait bien...

Il m'est arrivé de rester plusieurs semaines sans aller à sa rencontre, mais lui, il n'a jamais failli à sa règle. Chaque mercredi, en dehors des vacances scolaires et pendant presque trois ans, j'ai eu droit à ma carte postale moche avec un « J'espère que tu vas bien, moi je vais bien » écrit derrière et à chaque fois, à l'occasion, j'ai croisé le regard d'un être humain qui ne me jugeait pas. Je ne restais jamais très longtemps parce que j'étais trop en mode warrior à cette époque-là pour prendre le risque de la douceur, mais juste de passer vite fait comme ça, avec mon vrai visage de l'époque, ça m'a permis de tenir jusqu'à la suite de ma vie.

★

Un jour, je me souviens, alors que je venais juste de sonner chez elle, je l'ai entendue dire à je ne sais qui au téléphone (la fenêtre de sa cuisine était ouverte) : « Attends, je te laisse, Billie vient d'arriver. Mais si, tu sais bien, cette pauvre gosse dont je t'ai parlé l'autre jour... », ça m'avait poignardé le cœur et j'étais repartie en courant à moitié.

Merde, pourquoi elle parlait de moi comme ça ? J'avais seize ans, je couchais déjà et je me démerdais sans jamais rien réclamer à personne. Je trouvais ça injuste. Je trouvais ça dégueulasse. Je trouvais ça humiliant. Et puis je l'ai entendue qui m'appelait au loin : « Billiiiie ! » Crève, j'ai pensé en faisant la sourde, crève. J'ai encore fait un pas ou deux et puis il y a un truc à l'intérieur de moi qui s'est déchiré et j'ai fait demi-tour.

Oui, que ça me plaise ou non, j'étais une pauvre gosse et je ne pouvais me payer le luxe de me faire croire le contraire...

Je suis revenue sur mes pas, elle m'a embrassée, j'ai bu un café au lait avec elle, j'ai pris ma lettre et je l'ai embrassée.

En repartant, j'étais toujours aussi crevarde, mais j'ai eu vraiment l'impression d'avoir grandi.

Avec tout ce que ça voulait dire d'allégeant pour moi.

Je n'ai pas fait que regarder la télé, abandonner l'école ou être la boniche des garçons les moins regardants avec mes origines à cette époque, j'ai aussi accepté des tas de petits boulots. J'ai gardé des enfants, j'ai gardé des vieux, j'ai fait des ménages et j'ai déterré des pierres ou des patates.

Le problème, c'était toujours mon âge. Les gens voulaient bien m'exploiter, mais ils ne pouvaient pas m'embaucher. Comme ils disaient, ils n'avaient pas le droit. Bien sûr, tiens... pour torcher leurs grands-pères et nettoyer leurs chiottes, ça allait, mais pour me payer au prix, les pauvres, ils avaient des contraintes de légalité...

J'ai perdu Franck de vue. Je savais qu'il revenait certains week-ends ou pendant les vacances, mais il ne sortait plus de chez lui. C'est seulement bien plus tard que j'ai compris qu'il aurait eu tellement besoin de moi, lui aussi, dans ces années-là et je m'en veux encore de n'avoir pas eu le courage, ou simplement l'idée, de frapper à sa porte pour lui sortir ses idées morbides de la tête. Mais vraiment, j'étais moi-même trop loin de ma base pour penser une seconde que j'aurais pu avoir la... je ne sais pas... la légitimité de venir en aide à quelqu'un.

C'était le temps de la survie personnelle comme d'autres disent : « C'était le temps de ma jeunesse... » Désolée, mon Francky. Désolée. Je ne pouvais pas imaginer que c'était aussi dur pour toi que pour moi...

Je te croyais dans ta petite chambre bien confortable, à lire, à écouter de la musique ou à faire tes devoirs. Je n'avais pas encore appris que les gens normaux aussi, pouvaient avoir des problèmes...

★

Et puis un jour, les choses ont bougé.

Un jour et sans le faire exprès bien sûr, mon père s'est enfin bien comporté avec moi : il est mort.

Il est mort électrocuté en allant chourer des câbles ou je ne sais quoi sur une ligne de TGV.

Il est mort et le maire est venu me trouver un matin que j'étais justement en train de trier des patates avec toute une bande de vrais Gitans pour le coup.

Alors même que mes mains étaient super

126

crades, il m'a tendu la sienne et là... là, j'ai compris que le vent était peut-être en train de tourner... Oui, quand il m'a dit au revoir, je suis retournée à mes baquets de calibrage en souriant à moitié.

Petite étoile, petite étoile, tu commençais à t'ennuyer de nous, pas vrai?

Levez la tête, Franck et Billie! Levez la tête!

Il m'a serré la main et il m'a demandé de passer le voir la semaine suivante. Une fois dans son bureau, il m'a appris que un, ma belle-mère et mon paternel n'avaient jamais été mariés et que deux, le bout de Morilles dont j'avais hérité avait de la valeur. Pourquoi? Parce qu'il était situé en hauteur et qu'il intéressait plein de gens qui souhaitaient y installer des relais pour les téléphones portables ou je ne sais quelle antenne.

Allons bon... C'était donc ça, toutes les lettres qu'il nous envoyait depuis des années et qu'on ne lisait même pas?

Allons bon, j'étais l'unique héritière de cette porcherie et la mairie me proposait de la racheter?

Allons bon...

Le temps que la procédure se fasse, j'ai eu mes dix-huit ans tant attendus, ma belle-mère et ses ratons ont été relogés en HLM, j'ai touché mon chèque de 11 452 euros, j'ai écouté le baratin du notaire qui m'a expliqué combien je devais mettre de côté pour les impôts et j'ai ouvert un compte à mon nom à La Poste.

Bien sûr, à cette époque, ma belle-mère m'a fait les yeux doux et des chantages pas possibles pour que je lui en refile une part... Et au moins la moitié, sinon ça voulait dire que j'étais vraiment une saleté d'ingrate vu tout ce qu'elle avait fait pour moi, et qu'elle m'avait élevée comme sa fille et tout alors que j'étais celle d'une souillon.

Je pensais que j'avais mangé toute ma merde possible avec elle, mais même là, même dans ces circonstances, ce mot de souillon y m'avait fait mal... Comme quoi, hein ? Même un peu riche, on n'est jamais aussi blindé qu'on croit... Je l'ai écoutée cracher son poison en faisant celle qui aurait peut-être pitié, peut-être, mais moi, toute mon enfance, je l'avais entendue se plaindre de ma présence en répétant que je lui avais gâché sa vie et qu'elle rêvait d'un fauteuil massant, alors je lui ai payé son putain de fauteuil massant, je l'ai fait livrer dans son nouveau clapier et je me suis sauvée une bonne fois pour toutes.

Tout le monde me faisait les yeux doux à cette époque, tout le monde. Puisque tout se sait dans les villages... La rumeur courait que j'avais amassé un gros pactole, genre des millions et tout ça, et moi, je laissais dire.

C'est sûr, maintenant on me disait bonjour dans la rue, mais j'ai continué de travailler comme avant et, l'âge des grands emplois glorieux légaux étant enfin arrivé, je suis devenue caissière à l'Inter.

À cette époque je vivais avec un garçon qui s'appelait Manu et qui, lui aussi, évidemment, était devenu plus gentil. À force, il avait même réussi à se faire payer les réparations de sa voiture et le fusil de chasse de ses rêves par sa Bibi et à faire croire à la Bibi en question qu'elle l'aimait. Bref, ça roulait. C'est tout juste si on ne parlait pas de se marier.

Je pensais aux copines de Camille qui pleuraient dans leur couvent parce qu'elles n'avaient pas de dot et je mesurais combien tout se mesurait au pognon ici-bas...

Oui, je voulais bien faire semblant d'être heureuse mais de là à me demander d'y croire, y avait de la marge...

Y avait 11 452 euros.

Mais bon, je prenais ce qui venait : j'avais du travail, du blé de côté, un mec qui ne me cognait pas dessus et des radiateurs électriques dans la petite maison qu'on retapait ensemble, question bonheur, je savais que j'étais au taquet.

Donc, tout s'emboîtait à peu près, mais toi, petite étoile, tu te sentais inutile, alors un samedi soir d'hiver, le Manu en question, il est revenu de la chasse et du café (ou plutôt du café, de la chasse et du café) à moitié bourré et il n'arrêtait pas de rire bêtement parce qu'il en avait une bien bonne à me raconter : Hé, le petit pédé... Mais si tu sais, le petit pédé du bled d'à côté... Celui qui dit jamais bonjour et qu'est fringué comme une tapette, là... Ouais, eh ben, ils l'avaient chopé, dis donc... Ouais, ils l'avaient chopé qui se promenait tout seul aux Charmettes et pis, ils l'avaient un peu chauffé, ce con-là, et comme y répondait rien et qu'y faisait sa fière, eh ben, ils l'avaient embarqué avec eux, dis donc... Putain, hé, dans le C15 à Mimiche, tu sais ce qu'y z'y avaient fait ? Ils l'avaient aspergé d'urine de laie en chaleur... Mais si... tu sais bien... le truc, là... l'appât... le produit qu'on mettait sur les troncs d'arbres et qu'attirait les mâles en rut... Ouais, hé... toute la bouteille qui y était passée... Wouarf! Wouarf! Hé... trempé qu'il était... Et après, ils l'avaient largué en plein milieu des bois... Comme ça, hé, eh ben, il allait bien se faire démonter le cul, ce gros pédé! Depuis le temps qu'il en rêvait! Wouarf! Wouarf! Ah, putain, ah, qu'est-ce qu'y s'étaient marrés avec ça... Ah, le con... Ah, le pédé... Ah, il allait passer une bonne nuit, mon salaud et y pourrait venir les remercier demain matin... Hé, mais pour ça, y faudrait qu'il arrive encore à marcher, hein ? Wouarf! Wouarf!

Je me souviens, j'étais en train de faire du repassage et il faisait déjà nuit noire. Putain, l'électrochoc. Là, dans la seconde, exactement comme Hulk, je suis redevenue ma vraie nature.

Là, tout mon vernis de petite mémère bien rangée a craqué et, dans la seconde, j'étais de nouveau la petite moricaude enragée des Morilles.

Là, j'ai remercié mon père et tous ces connards qui m'avaient appris à recharger n'importe quelle arme et qui m'avaient forcée à tirer sur toutes ces pauvres petites bestioles qui fouinaient au milieu de leurs carcasses de bagnoles pourries parce que ça les faisait marrer de me voir pleurer.

Là, oui.

Là, merci.

Là, je le palpais enfin mon vrai héritage.

Et là, le Manu, il a pas tout compris.


J'ai rien dit. J'ai débranché mon fer, j'ai replié ma table et je l'ai rangée au sous-sol, j'ai été dans notre chambre, j'ai mis des affaires dans son sac de sport, j'ai récupéré mes papiers, enfilé mon blouson et attrapé mon sac à main et ensuite, son beau fusil de chasse bien braqué sur la porte, j'ai attendu qu'il ait fini de pisser ses bières et qu'il sorte enfin des chiottes.

Comme il n'avait pas l'air de me croire, ce con, la porte, je l'ai dézinguée et je lui ai sûrement emporté un bout de tympan avec. Et après, allez savoir, il m'a crue.

Une main sur l'oreille, il m'a conduite là où ils l'avaient abandonné. Si tu me le retrouves pas, je te bute, je l'ai prévenu de ma voix méconnaissable, s'il lui est arrivé le moindre problème, je te repeins le pare-brise.

Grâce aux coups de Klaxon et au faisceau des phares, on l'a aperçu qui longeait une allée cavalière.

Le fusil, mon regard, l'autre connard à moitié sourd et complètement terrorisé au volant, lui, Franck, il a tout de suite pigé la map. Il est monté à l'arrière de la caisse avec moi et notre gentil chauffeur si serviable nous a conduits jusque chez ses parents.

– Fais comme moi, je lui ai dit, prends un sac d'affaires. Et grouille.

Pendant les dix minutes qu'il a été absent, l'autre connard n'a pas arrêté de me répéter : « Mais tu le connais ? Mais tu le connais ? Mais tu le connais ? »

Oui, connard, je le connais.

Et maintenant, ferme ta gueule. Il se trouve que j'y tiens et qu'ici, on respecte ma volonté.

Notre gentil chauffeur bien aimable nous a ensuite conduits jusque dans la grande ville où

Franck avait été lycéen (je ne donne pas les noms exprès, mais toi, petite étoile, évidemment, tu sais où) et il s'est garé devant le commissariat. J'ai demandé à Franck d'aller chercher un flic armé et, quand ils sont ressortis tous les deux, j'ai rendu mon cadeau à mon ancien fiancé.

Ah, ben oui, monsieur l'agent... Parce que reprendre, c'est voler...

Le flic n'a rien compris. De toute façon, le temps qu'il regarde la voiture de Manu s'éloigner, on était déjà barrés de l'autre côté. Il a un peu gueulé pour la forme puis s'en est retourné à son poulailler.

Il faut dire que ça caillait dur ce soir-là...

On est allés dans un hôtel de merde près de la gare et j'ai demandé une chambre avec une baignoire. Franck était bleu. Bleu de froid, bleu de moi, bleu de tout. Oui, je crois qu'il avait peur de moi, à ce moment-là. C'est sûr, presque vingt ans de Morilles qui vous remontaient d'un bloc dans la face, ça devait pas être très jojo à voir...

Je lui ai fait couler un bain brûlant, je l'ai désapé comme un petit garçon et oui, j'ai vu sa tebi, mais non, je l'ai pas regardée, et je l'ai plongé dedans.

Quand il en est ressorti, j'étais en train de mater un film à la télé. Il a mis un slip et un tee-shirt propres et il est venu dans le lit à côté de moi.

On s'est rien dit, on a regardé la fin du film, on a éteint la lampe et, dans le noir, on a guetté les paroles de l'autre.

Moi je ne pouvais rien dire parce que je pleurais en silence, alors c'est lui qui s'y est collé. Il m'a caressé les cheveux très doucement et au bout d'un long moment, il a chuchoté :

– C'est fini, ma Billie... C'est fini... On ne retournera jamais là-bas... Chuuuuut... C'est fini, je te dis...

Mais je pleurais toujours.
Alors il m'a serrée dans ses bras.
Alors j'ai pleuré encore plus fort.
Alors il a ri.
Alors j'ai ri aussi.

Et je nous ai foutu de la morve partout.

J'ai pleuré pendant des heures et des heures.

C'était comme une bonde en moi qu'on aurait tirée. Ou comme une purge. Ou comme une vidange. Pour la première fois depuis que j'étais née, je n'étais plus sur la défensive.

Pour la première fois...

Pour la première fois, je sentais qu'enfin, ça y était. Qu'enfin, j'étais en sécurité. Et tout est sorti d'un coup. Tout... L'abandon, la faim, le froid, la saleté, les poux, mon odeur, les mégots, la crasse, les bouteilles vides, les cris, les baffes, les marques, la laideur de tout, les mauvaises notes, les mensonges, la violence, la peur, les vols, les parents de Jason Gibaud qui m'interdisaient de chier chez eux, leurs restes à finir, mon cul, mes nichons et ma bouche qui m'avaient tellement servi de monnaie d'échange ces derniers temps, tous ces mecs qui avaient tellement profité de ma situation, et si mal, et tous ces boulots de merde, et Manu qui m'avait fait croire qu'il m'aimait un peu pour de vrai et que je pourrais avoir ma maison à moi et...

Et j'ai tout dégobillé en larmes.

Et plus je me vidais, plus Franck semblait se remplir. Je ne saurais pas l'expliquer vraiment, mais c'était l'impression qu'il me donnait. Plus je pleurais, plus il se détendait. Son visage devenait de plus en plus bonasse, il me tortillait une mèche de cheveux dans l'oreille, il se moquait gentiment de moi, il m'appelait Calamity Jane, ou Camille la Dingue, ou Billie the Kid et il souriait.

Il me racontait mon visage méconnaissable, il me racontait la façon dont j'avais labouré la nuque de ce pauvre mec avec le canon de mon fusil pendant qu'il conduisait, il me décrivait son lobe d'oreille déchiqueté qui pendouillait dans les tournants, il imitait le ton de ma voix quand je lui avais ordonné de rabouler un flic et comment j'avais balancé mon arme dans la gueule de Manu en lui disant « Ton cadeau » et il riait presque à certains moments. Oui, il riait presque.

Je n'ai compris que bien après, que bien des confidences plus tard, quand il a commencé, lui aussi, à me raconter un peu ce qu'avait été sa guerre en solitaire avant moi, avant nous, que cette nuit-là, s'il était si heureux de me voir aussi malheureuse, c'était parce que pendant que je sanglotais dans ses bras non-stop et limite en crise de tétanie, il était, lui, en train de trouver une première bonne raison de ne plus mourir.

Les larmes que je pleurais, c'était son carburant pour la suite, et ses moqueries, c'était juste pour me rassurer. Pour me prouver qu'on pouvait rire de tout et que, d'ailleurs, on allait rire de tout à partir de maintenant puisque regarde, Billie... Regarde... Nos vies, si pourries soient-elles, nous étaient enfin rendues dans ce petit lit pourri aussi... Hé... Arrête de pleurer, ma puce... Arrête de pleurer... Grâce à toi, on venait d'abattre le plus dur. Grâce à toi, on était sauvés. Oh, et puis si, pleure, va... Pleure... Ça te fera dormir... Pleure, mais n'oublie jamais ça : bien sûr, nous n'en étions qu'au début de nos peines, tous les deux, bien sûr, mais quand nous serions au bord de nos tombes, nous pourrions nous retourner et nous dire : c'est moi qui ai vécu et non pas un être factice créé par la peur et ce sentiment de terreur que m'avaient inspiré des connards de beaufs...

En vrai, il ne disait que des chut, mais ses chut disaient ça.

Sans la gentillesse de Franck quand nous avions révisé notre scène ensemble, sans l'enfance de Billie Holiday qu'il m'avait racontée en regardant ailleurs, bien au-delà de mon appuie-tête, et sans ses cartes postales minuscules envoyées chez Claudine pendant mes années de couvent, je n'aurais jamais eu le réflexe de devenir dingue. Et sans ma dinguerie, il n'aurait pas survécu non plus.

Voilà, petite étoile... Et maintenant, je te le demande : est-il utile pour moi d'aller plus loin? Est-ce que cette dernière phrase n'est pas trop classe et nous servirait tout à fait bien de laissez-passer pour la suite?

Non?

Pourquoi, non?

Tu veux que je raconte aussi comment c'est *moi* qui nous ai mis dans cette merde pour bien tout soupeser avant de donner ton verdict?

OK, OK. J'enchaîne...

Quand j'ai été trop épuisée pour avoir encore la force de pleurer, je me suis endormie et, juste au moment de m'endormir, je lui ai fait promettre de ne plus jamais m'abandonner. Parce que je faisais trop de conneries sans lui... Trop, trop de conneries...

Il a ri encore une fois et un peu bizarrement pour se cacher derrière et il a ajouté comme ça, dans son rire à la con :

– Oh là! Tout ce que tu voudras! Je tiens à ma peau, moi!

Puis tout bas et dans le pli de son coude :
– Oh… Billie… Je l'avais oublié…

★

Hé, la starounette… Pas mal, la saison 2, non?
Du cul, de l'action, de l'amour, y a tout, là!
Après, tu vas voir, c'est moins funky.

Après, c'est deux jeunes dans la débrouille.
Rien de très original. Surtout que je ne vais pas
pouvoir m'éterniser vu que le ciel commence à
pâlir tout là-bas. Tout là-bas, ce doit être l'est,
j'imagine…

Oui, il faut que je me dépêche de te raconter
la fin du film avant que la lumière se rallume.

Le lendemain matin, nous avons pris le train pour Paris.

Dans ce train, Franck m'a raconté où il en était de sa vie : pour faire plaisir à son père, il s'était inscrit en fac de droit et vivait en colocation avec un de ses cousins dans un petit appartement en banlieue où les loyers étaient moins chers.

Il n'aimait ni le droit ni son cousin et encore moins la banlieue.

Je lui ai demandé ce qu'il voulait faire.

Il m'a répondu que son rêve était de s'inscrire à un stage qui lui permettrait de participer à un concours pour entrer dans une super école de joaillerie-bijouterie.

Tu veux être bijoutier ? je lui ai demandé. Tu veux vendre des colliers, des montres et tout ça ?

Non. Pas en vendre, en créer.

Il a allumé son ordinateur et il m'a montré ses dessins.

C'était super beau. C'était comme s'il avait soulevé le couvercle plein de sable d'un vieux coffre.

C'était comme un trésor...

Je lui ai demandé pourquoi il ne faisait pas ce qu'il aimait plutôt que d'obéir à son père.

Il m'a répondu qu'il n'avait jamais fait ce qu'il aimait de toute sa vie et qu'il avait toujours obéi à son père.

Je lui ai demandé pourquoi.

Il a fait celui qui était occupé avec ses fenêtres à refermer.

Au bout d'un moment, il m'a répondu que c'était parce qu'il avait peur.

Peur de quoi?

Il ne savait pas.

Peur de le décevoir encore une fois.

Et de faire reporter cette déception sur sa mère.

Peur d'enfoncer sa mère sous terre encore un peu plus bas.

Je n'ai rien répondu.

Dès que ça touche le domaine des parents, je n'ai plus de ressource.

Alors il a rangé ses rêves et nous avons continué notre trajet en silence.

Quand nous sommes arrivés à Paris, il m'a proposé de déposer nos sacs à la consigne et de faire

un peu de tourisme avant d'aller chez lui. Enfin…
chez son cousin…

Nous avons refait plus ou moins le même cir-
cuit que celui de notre sortie de classe quatre ans
plus tôt.

Quatre ans…
Qu'est-ce que j'avais fait, moi, en quatre ans?
Rien.
Taillé des pipes et trié des patates…

J'étais décalquée de tristesse.

Ce n'était plus du tout comme la dernière fois.
C'était l'hiver, il faisait froid, la Seine ne dansait
plus, la passerelle était déserte et les cadenas
avaient tous été coupés et jetés à la poubelle. Les
gens ne pique-niquaient plus dans les jardins en
tournant leurs visages vers le soleil, ils ne jacas-
saient plus en terrasse en buvant des verres de
Perrier, ils marchaient toujours aussi vite, mais ils
ne souriaient plus. Ils faisaient tous la gueule.
Nous avons bu un café (un court) qui coûtait
3,20 €.
3,20 €…
Mais comment c'était possible?

Moi aussi, j'avais peur.
Je me demandais si Manu avait été obligé d'aller

aux urgences et s'il penserait à vider la machine avant que le linge sente le moisi. C'est tout juste si je ne cherchais pas une cabine téléphonique du regard pour lui laisser un message.

C'était horrible.

★

Le cousin de Franck avait beau venir d'une famille noble avec un nom en plusieurs morceaux, un grand nez, des genres de manières et une chemise Lacoste, il m'a accueillie exactement comme les parents de Jason Gibaud.

Enfin non, justement. À cause de son éducation qui lui avait si bien appris à embrouiller la politesse et l'hypocrisie, il s'est comporté bien plus mal qu'eux : il m'a lattée dans le dos.

Sur le moment, il a fait Ah, une amie de Franck, Ah, enchanté, Ah, bienvenue à la maison, mais le soir, quand j'étais dans la salle de bains, je l'ai entendu qui lugubrait comme s'il parlait de missiles nucléaires pointés sur la Nasa : « Écoute, Franck... Ce n'était pas dans le contrat. »

J'étais prête à repartir direct. Parce que c'est vrai ça... Ça commençait à faire beaucoup, là, pour une seule petite Billie qui n'avait encore jamais pris le train et qui pensait toujours à ses serviettes abandonnées...

Où que j'aille depuis que j'étais née, je dérangeais. Où que j'aille, quoi que je fasse, quoi que j'essaye, je me trouvais toujours dans le passage et je prenais des gnons pour la peine.

Je n'ai pas entendu la réponse de Franck, mais quand il est entré dans la chambre que nous allions partager désormais (il m'avait laissé son petit lit et s'était installé sur un bout de moquette en me précisant que les Japonais dormaient tous comme ça et qu'ils vivaient bien plus vieux que nous), oui, quand il est entré et qu'il a vu mon regard, il s'est assis à côté de moi, il a pris ma tête entre ses mains et il m'a dit dans les yeux :

– *Hey, Billie Jean*? Est-ce que vous me faites confiance?

Je lui ai fait signe que oui et il a ajouté qu'alors je devais continuer et que tout se passerait bien. Il n'a pas dit que c'était que du provisoire, lui aussi, mais bon, il aurait pu...

Et, parce que je lui faisais confiance et que je n'avais plus de boulot, je me suis remise en mode boniche. Les garçons partaient le matin, je faisais le ménage, je m'occupais du linge et je leur préparais à manger pour le soir.

J'adorais cuisiner, j'avais découvert que c'était un truc de nan-nan pour se faire aimer sans embrouilles. J'essayais plein de trucs et j'ai pris trois kilos rien qu'à tout goûter pour réussir mes assaisonnements.

Le Aymeric, ça l'a bien détendu, tout ça. Il est devenu plus cordial avec moi. Pas gentil, cordial. Comme ces gens-là ont sûrement l'habitude de l'être avec leurs domestiques. Mais je m'en foutais. Je me faisais toute petite et j'essayais d'encombrer Franck le moins possible. Et puis, je crois que ça m'allait... Toujours ce truc de défensive qui me hantait... Pour la première fois de ma vie, je n'avais plus peur de mon ombre quand je me retournais trop vite ou quand j'entendais des pas dans mon dos.

Je savourais.

L'après-midi, je longeais les arrêts de bus pour ne pas me perdre en cours de route et j'allais traîner dans un grand centre commercial de l'autre côté de l'autoroute. Je glandais, je me la jouais bourgeoise difficile qui a la cébé de son mec, mais qui hésite encore et j'embêtais les vendeuses qui s'embêtaient aussi. Certaines commençaient à me détester et d'autres me racontaient leur vie pour compenser.

Je n'achetais jamais rien, mais, une fois, je suis allée chez le coiffeur.

La fille qui m'a fait mon shampoing m'a demandé si je voulais un soin encore en plus. J'étais sur le point de dire non et puis j'ai hoché la tête. Même si personne le savait, c'était quand même le jour de mon anniversaire après tout...

Ensuite, il y a eu Noël et le jour de l'an et je suis restée toute seule aussi. J'avais juré à Franck que je m'étais faite copine avec une des caissières du Franprix, mais si, tu sais, la blonde qui râle tout le temps, et qu'elle m'avait invitée parce qu'elle était divorcée et qu'elle voulait de la compagnie pour ses gamins. Comme j'ai bien mis le ton et que j'ai même acheté des jouets, il m'a crue et il est parti rassuré.

C'était mon cadeau.

De toute façon, je m'en foutais.
La magie de Noël?
Alors... euh... Comment dire?

★

La seule chose qui commençait à me tracasser, c'était la bibine.

Parce qu'à force d'être seule, j'avais commencé à téter, moi aussi.

L'ennui, l'isolement, le dépaysement, le prétexte que tout ce travail domestique me donnait soif et méritait salaire, je buvais des bières.

J'allais à l'épicerie turque en bas de chez nous et j'achetais des canettes de 33 cl.

Puis de 50.

Puis un pack.

Comme les soûlots.

Comme les SDF.

Comme ma belle-mère.


C'était triste.

Tellement, tellement triste…

Parce que j'étais lucide… Je me voyais…

Oui. Je me voyais faire.

À chaque fois que je tirais sur la languette, pschiitt, je le voyais, ce bout de moi qui disparaissait…

J'avais beau me dire ce que nous nous disons tous : que c'était juste de la bière, que c'était juste pour me désaltérer, que demain, je diminuais les doses, que demain, j'arrête, que de toute façon, j'arrête quand je veux et tout ça, je savais exactement ce qui était en train de se passer.

Exactement.

Vu que c'était ma bonne éducation à moi…

À la gorgée près, je le reconnaissais, ce naufrage en route… Cette hérédité de merde… Ma tête, mes bras, mes jambes, mon cœur, mes nerfs, tout ce corps qu'on m'avait refilé en tissu-éponge…


Et qu'est-ce que ça fait, l'alcool, à une petite rurale désœuvrée et perdue au milieu des voitures ?

Ça la ramène à ses origines…

Ça la fait de nouveau piquer dans les magasins du centre commercial pour se payer ses degrés sans attaquer l'argent du ménage.

Ça la fait remarquer des vigiles et des mecs de la sécurité.

Ça la force à faire sa pouf à deux balles pour qu'ils ne lui cherchent pas d'embrouilles.

Ça la force à faire sa pouf à deux balles et plus pour qu'ils ne lui cherchent pas d'embrouilles *et* qu'ils l'aient à la bonne…

Ça lui fait une réputation.

Ça la fait traîner avec ces cow-boys de super-marché dans leurs uniformes de synthèse qui sont convaincus d'avoir un petit pouvoir entre les mains et donc un peu plus bas.

Ça lui fait des amis.

Des genres d'amis…

Des garçons qui sont plus chaleureux avec elle que les deux qu'elle nourrit tous les soirs et qui ne lèvent jamais le nez de leurs bouquins…

Qui lui font oublier la tronche de Franck Muller qui s'était remis en mode caisson tellement il n'aimait pas ce qu'il étudiait pour obéir à un père qu'il aimait encore moins.

Qui la distrayaient d'être toujours la moins intelligente à table…

Et puis ça la fait se rhabiller plus court.

Beaucoup plus court.

Et plus voyant.

Bref,

Ça nous la remettait en pute…

Un après-midi que je sortais voir mes nouveaux amis, j'ai croisé Franck dans les escaliers.

Merde, j'avais dû mal comprendre son nouvel emploi du temps…

J'avais une jupe au ras de la moule, des bottes chourées de deux pointures différentes (la faute aux antivols) et mon faux sac Vuitton que j'ai hissé direct comme une sorte de bouclier entre nous deux.

Je ne sais pas pourquoi j'ai fait ça. Il n'a rien dit de méchant pourtant… Au contraire.

– Et alors, la petite Bill! Il fait froid dehors, tu sais? Tu ne devrais pas sortir comme ça, tu vas attraper la mort!

Je lui ai répondu un truc idiot pour me dépatouiller de sa gentillesse qui tombait si mal, mais quelques heures plus tard, alors que j'étais enfermée avec un vigile en pause dans un local à poubelles à me faire limer debout contre des rouleaux d'essuie-tout, la douceur de sa voix a résonné avec le reste et j'ai mangé ma misère.

Le mec, il était gentil, on s'amusait, le problème n'était pas là, c'était juste que je ne pouvais pas repartir dans l'autre sens.

Je ne pouvais pas. Je savais trop bien où ça menait… Surtout vers la fin.

C'est dans ces cas-là qu'une maman ça doit être bien... Une maman méchante qui te fait les gros yeux ou une gentille qui t'aide à ramasser les rouleaux d'essuie-tout et les balais avant de te pousser vers la sortie.

C'était ce que j'étais en train de penser sur le chemin du retour. Qu'il fallait que je sois ma propre mère. Au moins pour une journée dans toute ma vie. Que je fasse pour moi ce que j'aurais fait si j'avais été ma fille. Même chiante. Même pleureuse. Même si Michael m'avait lâchée entre-temps.

Allez, je pouvais bien essayer quand même...
J'avais fait des trucs tellement plus durs...

Je marchais tête baissée, je scritchais les trottoirs avec mes talons pointus, je me faisais la mère et la fille à tour de rôle en m'énervant toute seule.

J'étais soûlée. J'étais mauvaise. J'étais grossière en interne.

J'avais pas l'habitude de l'autorité. Et putain, qu'est-ce qu'elle venait me faire la morale maintenant, celle-ci ? Après tout ce qu'elle m'avait imposé comme souffrances ? Tous ces chatons en miettes que j'avais dû enterrer en secret, tous ces cadeaux des fêtes des mères que j'avais été obligée de rater tellement ça m'aurait détruite d'offrir quelque chose de joli à ma belle-mère, toutes ces maîtresses qui avaient cru pendant des années que j'avais deux mains gauches et qui m'avaient regardée comme une demeurée. Toutes ces connes qui avaient confondu ma tendresse et ma pauvreté...

Tous ces chagrins... Tous ces petits chagrins à la queue leu leu.

Merde, c'était trop facile de venir m'expliquer la vie aujourd'hui...

Dégage, souillon.

Dégage.

Ça, tu sais faire.

Je fronçais les sourcils et je me jetais des regards de vipère dans les vitrines.

Je me disais non, non, non et si, si, si.

Non.

Si.

Non.

Si je ruais ainsi dans mes brancards, ce n'était pas pour faire mon ado rebelle, c'était parce que ce que je me demandais là, c'était trop dur pour moi. Beaucoup beaucoup trop dur... Je voulais bien tout le reste, mais pas ça.

Pas ça.

J'avais prouvé que j'étais capable de prendre le risque d'aller en taule pour Franck, mais ce que ma Dame Pluche exigeait encore de moi aujourd'hui, c'était pire que la prison comme danger.

C'était pire que tout.

Parce que je n'avais et je n'aurais jamais que ça au monde entre le quart monde et moi.

C'était mon seul rempart. Ma seule sécurité. Je ne voulais pas y toucher. Jamais. Je voulais le conserver intact jusqu'à ma mort pour être sûre et certaine de ne jamais repiquer aux humiliations des cheveux qui grattent et des plis de peau qui commencent à sentir le hamster mort.

Toi, l'étoile, tu ne peux pas comprendre. Tu dois penser que j'invente des phrases à grandes emmanchures pour faire genre comme dans un livre.

Que je me la joue Camille. Toute seule et dépecée face au monde entier.

Personne ne peut comprendre. Personne. Y a que moi qui peux. La Billie de son cimetière à petits chats...

Donc je t'emmerde.

Je vous emmerde tous.

C'est niet.

Jamais je ne toucherai à mon assurance vie.

☆

Je suis rentrée, j'ai encore évité le regard de Franck qui révisait dans notre chambre et je me suis changée.

J'étais en train de regarder une émission débile quand ce crétin d'Aymeric de La Porte du Garage à Saint-Pierre est rentré de son école de commerce avec sa raquette de tennis dans le dos.

Genre pour faire trop cordial, il a lancé comme ça :

– Et alors? Qu'est-ce qu'on mange de bon, ce soir?

– Rien, j'ai dit en continuant de me revernir les ongles avec une couleur un peu plus classe que la précédente, ce soir, j'invite mon ami Franck au restaurant.

– Aaaah ouiiii? il a fait en continuant de galocher le calot brûlant qu'il avait toujours sous la glotte, et que lui vaut cet honneur?

– On a un truc à fêter.

– Aaaah bon ? Et peut-on savoir quoââ si ce n'est pas trop indiscret ?

– La perspective de ne plus jamais voir ta sale gueule d'hypocrite, petit trou du cul.

– Oooh ! Mais quelle chaaance !

(Ben oui, parce que je m'étais dégonflée. J'avais dit : « C'est une surprise » à la place.)


Merde... le ciel devient de plus en plus clair... Il faut vraiment que je me dépêche au lieu de te faire ricaner bêtement avec l'autre crétin.

Allez, boucle ta ceinture, ma titine with diamonds in the sky parce que je vais mettre le turbo, là...

J'ai plus le temps de fignoler alors je te fais la fin de la saison 3 en a-*ziiiiiit*-vance ra-*ziiiiiiit*-pide.

J'ai donc invité Franck dans une pizzeria tenue par des Chinois et, tandis qu'il crevait la croûte de sa calzone, j'ai pris nos vies en main pour la deuxième fois de nos vies.

Je lui ai raconté la promesse secrète que je m'étais faite quand on était encore tout minots sur la passerelle du pont des Arts.
Comment j'avais pas osé la lui dire à voix haute, mais qu'elle existait toujours dans ma tête et que le moment était venu pour moi de la tenir...

Je lui ai dit qu'on allait se casser d'ici. Que c'était trop moche, que son cousin était trop con et qu'on n'avait pas fait tout ce chemin pour revoir de la laideur et se fader un nouveau genre d'abruti. Mieux habillé, je ne dis pas, mais aussi débile que les mecs des Prévert.
Je lui ai dit qu'il devait nous trouver un endroit

où vivre, mais à l'intérieur de Paris. Même un truc tout petit. Qu'on y arriverait. Que notre chambre ici était petite aussi et qu'on s'était déjà prouvé qu'on se respectait. Que moi, j'avais toujours vécu dans des caravanes et que ça me faisait pas peur de rapprocher encore les murs. Que ça, c'était dans mes cordes. Qu'en matière de logement, j'étais à toute épreuve.

Je lui ai dit que mon moment préféré de la journée, c'était le soir, quand je le voyais de dos, qui dessinait au lieu d'apprendre des lois à la con que personne ne respectait jamais.

Oui, que c'était la seule chose belle que j'avais vue depuis qu'on était ici : ses dessins. Et surtout, son visage enfin détendu quand il était penché dessus. Son visage de Petit Prince que j'aimais tant quand j'étais gamine et que je l'apercevais au loin dans la cour. Ses cheveux en pétard et son écharpe claire qui m'avait fait tellement rêver à un moment où j'en avais eu tellement besoin...

Je lui ai dit qu'il devait me prouver qu'il avait du courage, lui aussi, et qu'il ne pouvait pas continuer à m'expliquer le sens de la lumière en me demandant de larguer les amarres avec ma famille et faire exactement le contraire.

Je lui ai dit qu'il aimait les garçons et qu'il avait raison parce que c'était bien d'aimer qui on aimait, mais que, et il fallait qu'il l'imprime une bonne fois pour toutes dans sa petite tête dure, qu'entre son père et lui, c'était mort pour la vie.

Que c'était pas la peine qu'il se fasse chier à devenir avocat pour se faire pardonner sa sexualité vu que ça ne changerait rien du tout. Que son père ne le comprendrait jamais, ne l'accepterait jamais, ne lui pardonnerait jamais et ne s'autoriserait plus jamais à l'aimer.

Et qu'il pouvait me faire confiance sur ce point parce que j'étais la preuve vivante que les parents pouvaient faire ça aussi : débrayer.

Et que j'étais aussi la preuve vivante qu'on n'en mourait pas pour autant. Qu'on se démerdait autrement. Qu'on trouvait d'autres solutions en chemin. Que lui, par exemple, il était mon père, ma mère, mon frère et ma sœur et que ça m'allait très bien. Que j'étais très contente de ma nouvelle famille d'accueil.

Là, déjà, je crois que je chialais ma larmichette et que sa calzone était presque froide, mais j'ai continué, parce que je suis comme ça, moi : ou pute ou porte-avions.

Je lui ai dit qu'il allait arrêter ses études inutiles et s'inscrire dans son stage de préparation à son école de bijoux. Que s'il ne tentait pas le truc, il le regretterait jusqu'à sa mort et qu'en plus, c'était sûr qu'il allait y arriver parce qu'il était doué.

Parce que oui, la vie était aussi injuste avec ça qu'avec le reste, que les gens qui sont nés avec plus de talents que les autres ont plus de chances que les autres. Que c'était dégueulasse, mais que c'était comme ça : qu'on ne prêtait qu'aux riches.

Oui, qu'il allait cartonner, mais à la seule condition d'être courageux et de travailler dur.

Qu'en ce moment, il était pas très courageux, mais que comme j'étais sa mère, son père, son frère et sa sœur, moi aussi, j'allais foutre tous ses bouquins de droit à la benne et le faire caguer jusqu'à ce qu'il cède.

Que pendant qu'il ferait son école, je chercherais un vrai boulot et que j'en trouverais facile. Pas parce que j'étais plus maligne que les autres, mais parce que j'étais blanche et que j'avais des papiers en règle. Que je ne me faisais pas de souci. Que le seul truc que je ne voulais plus faire, c'était calibrer des patates, mais qu'a priori, à Paris, je craignais rien de ce côté-là.

(Là, c'était la séquence Humour, mais ça n'a pas marché. Il n'a pas ri du tout et je ne lui en ai pas voulu vu que sa mâchoire du bas pataugeait dans sa pizza.)

Je lui ai dit qu'on avait rien à craindre. Que tout allait rouler pour nous. Qu'il ne fallait pas avoir peur de Paris et encore moins des Parisiens parce qu'ils étaient tous tout gris et tout maigrichons et qu'il suffisait d'une pichenette pour les faire tomber à la renverse. Que des gens capables de payer des cafés courts 3,20 € ne représenteraient jamais aucun danger pour nous. Oui, qu'il ne devait pas s'inquiéter. Que le monde rural et putréfié de merde d'où on venait avait au moins cet avantage-là : qu'on était plus solides qu'eux. Beaucoup, beaucoup plus solides. Et plus courageux. Et qu'on allait tous les niquer.

Donc voilà, je me résumais : sa mission à lui, c'était de nous loger et la mienne, c'était de tenir la boutique pendant qu'il apprenait le seul métier qu'il avait le droit d'apprendre.

Et là, genre, il y a eu un silence si long et si paranormal que le serveur est venu nous demander si y avait un problème avec la bouffe.

Et même ça, Francky l'a pas entendu.

Moi si, heureusement. Alors je lui ai demandé s'il pouvait nous remettre nos pizz' au four deux minutes.

– Biêng Sûh', il a fait en s'inclinant.

Pendant tout ce temps, Franck continuait de me regarder comme si je lui rappelais quelqu'un dont le nom lui échappait et que ça commençait à bien lui prendre la tête.

Au bout d'un moment, quand même, il a fait son petit kéké pathétique et trop miséricordieux :

– Tu tiens de très jolis discours, ma petite Billie...
C'est toi qui devrais faire du droit, tu sais... Tu
ferais sensation dans un prétoire... Veux-tu que
je t'inscrive?

Quel ton méprisant... C'était nul de me parler
comme ça... À moi qui avais arrêté l'école dès
qu'il était parti...

Nul de chez nul et indigne de lui.

Les pizzas sont revenues, on les a attaquées en
silence et comme l'ambiance était devenue bien
crade et qu'il regrettait déjà de m'avoir blessée,
il m'a donné un sale coup de pied dans le tibia
pour me faire sourire.

Et puis il m'a dit en souriant aussi :
– Je sais que tu as raison... Je le sais... Mais
comment je fais? J'appelle mon père et je lui dis :
Allô, papounet? Écoute, je crois que je ne te l'ai
jamais dit, mais je suis de la jaquette et ton droit,
tu peux te le foutre au cul, toi aussi, parce que je
veux dessiner des boucles d'oreilles et des sautoirs
en perles à la place. Allô? T'es encore là? Donc,
alors... euh... aurais-tu l'obligeance de me faire
un virement dès demain, s'il te plaît, pour me permettre de ne plus passer pour une brêle aux yeux
de Maman Billie?

– ...

Et toc. Un bide partout.

Ben ouais. J'ai pas ri du tout, moi non plus.

À la place, j'ai fait ma blasée à la Aymeric de La Porte du Sien Derche et j'ai lâché comme ça en, *pfuitt*, recrachant mon noyau d'olive dans son assiette :

– Nan, mais le fric, c'est pas un problème, ça. J'en ai, moi...

Bon, bien sûr, ça a continué pendant des plombes, cette petite conversation pour caler notre retour vers le futur, mais je t'ai fait une capture d'écran, petite étoile, parce que j'aime trop cette image : la tête de Franck Mumu quand il a réalisé que le coucou pourri qui squattait son nid depuis des mois était en réalité un aigle majestueux avec des plumes en or qui tenait dans son bec en or une clef en or vers une vie en or.

Je ne sais pas ce que ça aurait donné en broche, mais dans une pizzeria chinoise déserte du neuf-quatre un mardi soir vers 22 heures, sérieux ça flashait bien.

Sinon, et c'était à prévoir vu que les garçons sont très prévisibles, il m'a beaucoup résisté.

Je lui disais qu'il me rembourserait quand il aurait sa boutique à lui sur la place je ne sais plus quoi où y avait un genre de colonne au milieu et que je n'oublierais pas les intérêts qui seraient monstrueux et tout ça, mais comme il se découvrait beaucoup plus macho que je ne l'aurais imaginé, à la fin, j'ai craqué.

À la fin, je lui ai avoué que quand il m'avait croisée tout à l'heure dans les escaliers habillée en Billie du bled, c'était parce que j'étais en route pour aller me faire tirer debout par un vigile en pause dans un local à poubelles contre des rouleaux d'essuie-tout et que s'il ne le faisait pas pour sa goule, au moins qu'il ait la générosité de le faire pour la mienne...

Que son talent, c'était son fusil de chasse à lui et qu'il me devait bien ça.

Et là, bien sûr, il a cédé.

– Ton cadeau, qu'il m'a fait, en imitant ma voix de braqueuse de beauf.

★

Le temps presse... Encore un résumé à l'arrache qui s'annonce...

Bah, ça n'a plus tellement d'importance, tu sais... En ce qui nous concerne, le plus gros de la feuille de route, il est derrière.

À partir de maintenant, je crois qu'on perd beaucoup à continuer d'être connus. Notre petit *Warcraft* à nous, il nous a bien occupés jusqu'à ce que Francky daigne enfin terminer sa calzone chaude puis froide puis carbonisée puis refroide, mais après, on a tout rendu : les gourdins, les haches, les armures, les casques à pointe et toutes ces conneries.

On a passé la main. On était fatigués de se battre.

À partir de maintenant, on devient des petits bobos comme les autres et putain, et je ne devrais pas dire ce mot, mais je le dis quand même : et putain... que c'est bon !

Oh oui, que c'est bon d'être aussi con que les Parisiens ! De se foutre en rogne pour un Vélib' foireux, une place de livraison occupée, un PV injuste, un restau bondé, un téléphone déchargé ou un horaire de brocante mal indiqué.

Que c'est bon, que c'est bon, que c'est bon...

Perso, je m'en lasserai jamais !

*

Résumé :

Au cours des épisodes suivants, nos deux héros, Franck et Billie, sont partis vivre à Paris et ils ont vécu comme ils se l'étaient promis.

Ils ont déménagé cinq fois en deux ans en prenant un peu de mètres carrés et en perdant quelques cafards à chaque barre de seuil.

Franck a été reçu à son école et Billie a exercé différents métiers plus ou moins glorieux, il faut bien l'avouer, mais, coup de bol, jamais dans les tubercules.

Petite étoile, vous êtes trop bonne…

Ils sont tombés amoureux chacun de leur côté, amoureux pour de vrai, amoureux avec de l'amour à l'intérieur. Ils y ont cru, ils se sont racontés, ils se sont motivés, ils ont déchanté, ils se sont pris des sots, des pelles et des râteaux, ils ont ri, ils ont pleuré, ils se sont consolés et ils ont fini par apprendre Paris. Ses codes, ses privilèges et ses servitudes. Ses grands fauves, ses territoires et ses points d'eau.

Ils ont travaillé comme des chiens, ils se sont nourris, pansés, beurrés, dégrisés, engueulés, quittés, gavés, gâtés, pourris, détestés, sevrés, réinitialisés, déçus, adorés, retrouvés et épaulés tout du long et surtout, ils ont appris à lever la tête ensemble.

Ce sont eux qui ont vécu.

Ce sont eux.

Dans les années qui ont suivi, ils se sont donc séparés plusieurs fois, mais ont toujours conservé, soit l'un soit l'autre et selon les aléas de leurs béguins respectifs, leur petit deux-pièces de la rue de la Fidélité qui demeure, encore à ce jour, leur unique port d'attache sur cette terre.

À part pour aller en vacances, et encore, Billie n'est plus jamais sortie de Paris, ville-doudou qui était devenue sa seule famille en plus de Franck, et Franck, parce qu'il était bon fils, a continué de prendre le train vers la sienne les veilles de fêtes et de jours fériés.

Son père ne lui parlait plus, mais ce n'était pas grave : il ne parlait plus à personne en dehors de son groupuscule d'amis en faction contre les Saboteurs. Sa mère était dans le gaz et Claudine allait bien. Claudine ne manquait jamais de lui transmettre des bisous pour Billie. Jamais. Et même des sablés un peu mous quelquefois.

Il y avait presque trois ans déjà, alors que Franck travaillait encore en alternance dans un atelier de polissage situé dans le Marais et que Billie venait l'y débaucher tous les soirs vu qu'elle était de nouveau célibataire, qu'elle travaillait de nuit à cette époque (blanche et avec des papiers, certes, mais il ne fallait pas trop rêver non plus) et qu'elle prenait son petit déjeuner tandis qu'il buvait son petit chablis du soir, espoir, les choses ont de nouveau roqué pour elle.

Parce que Franck était souvent en retard et que la petite dame fleuriste installée en face de son atelier avait au moins deux mille ans d'âge et qu'elle mettait des plombes à rentrer ses seaux, ses petits buis, ses pots de fleurs et tout son bordel, Billie – qui n'aimait pas attendre un garçon plus que de raison – avait commencé à lui donner un coup de main et à plier boutique avec elle pour ne pas rester inactive. (Et risquer de boire un demi avant son café-crème, disons-le, nous qui le savons.)

Et donc, de petits coups de main en petits coups de main, de petites parlottes en grandes discussions, de petits bouquets en grandes croix de deuil, de petits conseils en grand apprentissage, de petits samedis en grandes semaines, de petites initiatives en grands changements, de grandes innovations en petits succès, de petits chèques emploi-service en petites feuilles de paye et de petit bien-être en grand amour, la voilà qui était devenue fleuriste superstar.

Et c'était une évidence, petite étoile, une évidence...

Billie était née pour créer du beau tandis que tant d'autres avant elle s'étaient échinés à lui prouver qu'elle n'y aurait pas droit.

Une évidence.

Ce n'est pas une nuit qu'il faudrait pour raconter comment notre petite peureuse était devenue la coqueluche de sa rue, de son quartier, de son Rungis, des rédactrices de presse, des décorateurs et de tous les bouche à oreille du flower power à Paname, mais un livre entier.

Parce que si elle manquait de ressource côté dessine-moi un arbre de famille, question ramifications des pépètes, mammamia, elle aurait pu en donner, des cours magistraux, aux filles à papa des écoles de commerce...

Ce n'était pas une bosse, qu'elle avait, c'était un chameau complet !

Ce que Billie voulait, Dieu l'inventait pour elle.

Ses vêtements insensés (par tous les temps) de la tête (foulard) aux pieds (chaussettes), uniquement des motifs fleuris (cueillis dans des friperies), ses cheveux teints de toutes les couleurs du Pantone® et assortis aux poils de son chien (un genre de caniche croisé teckel, mais en beaucoup plus laid) selon leurs humeurs à tous deux et sa vieille estafette Renault peinte en vert tendre et couverte de boutons-d'or que les pervenches n'osaient même plus verbaliser de peur de trahir la cause.

Question compta, ce n'était pas vraiment ça, mais bon, hé, les fleurs ça se fane quand on veut, hein ? Et puis payez donc en espèces les amis, ici c'est trop humide pour un terminal de carte bancaire. Regardez, je ne mens pas : l'écran est couvert de buée... Oh, zut, pas de chance... Payez en espèces, messieurs dames et l'on vous mettra un nuage de myosotis à la boutonnière pour la peine.

Les bouquets de Billie étaient les plus jolis, les plus tendres, les plus simples et les moins chers de Paris et, pour ce qui était de niquer son monde, elle n'avait de leçons à recevoir de personne.

Debout à l'aube, couchée à l'aube, sautillant toute la journée entre ses renoncules et ses pensées, Dr. Martens en Liberty aux pieds, ceinture en rafia, gouaille à la Arletty et sécateur en liberté qui cliquetait du soir au matin, de loin, on aurait dit la fille d'Eliza Doolittle version cockney et d'*Edward aux mains d'argent*.

My Fair Fair Fair Billie…

Autant dire que de loin on ne reconnaissait plus grand-chose des Morilles.

Mhmm… un certain sens des affaires, peut-être…

La vieille était toujours là, mais elle avait totalement passé la main. Elle tenait la caisse et la convertissait en anciens francs chaque soir pendant que sa jeunette rentrait le trottoir. Oh, mon Dieu, mais ça faisait vraiment beaucoup d'argent et elle vivrait bien encore deux mille ans !

★

Bon, petite étoile, j'ai passé la main deux minutes car il est difficile de se jeter des fleurs à soi-même, mais me revoilà et, sache-le… sache-le *maintenant* puisque la prochaine saison t'appartient en partie et semble plus compromise : merci.

Merci pour tout ça.

Merci pour moi et merci pour mon colocataire de vie qui, lui, est revenu d'Inde il y a six mois et travaille aujourd'hui, enfin, dans l'un des grands ateliers de la place avec la colonne au milieu. (Vendôme, insistent-ils.)

Je le savais.

Je le lui avais prédit, un soir, dans la pizzeria du Lotus Impérial…

J'aurais dû parier. Je suis bête.

Merci pour ma vie, merci pour sa vie, merci pour mes amoureux, merci pour ses amoureux, merci pour mon chien rose fuchsia que j'aime beaucoup et sur lequel personne ne tirera jamais, merci pour Paris, merci pour ma vieille momie qui me casse les cookies, mais qui paye toutes les charges, merci pour ma camionnette qui ne m'a encore jamais laissée en rade, merci pour les pivoines, merci pour les pois de senteur et les cœur-de-marie, merci de ne plus boire et de pouvoir picoler encore, merci de ne plus pleurer la nuit, merci d'avoir toujours de l'eau chaude et merci de travailler dans un endroit qui sent toujours bon.

Merci pour Mme Guillet. Merci pour le spectacle vivant. Merci pour Alfred de Musset et merci pour Camille et Perdican.

Et merci pour Billie Holiday qui a aussi chanté *No Regrets*.

Et, surtout, merci pour lui.

De lui.

Merci pour Franck Mumu des Prévert.

Merci pour Franck Muller des galères.

Merci pour mon Francky pour la vie.

Merci...

Et maintenant que c'est dit, débarque tes putains de brancardiers, bordel de merde! Je me gèle les miches et t'es presque plus là!

C'est vrai, ça! Mais qu'est-ce que tu fous, bon sang?

Tu trouves pas qu'on en a assez bavé comme ça?

Fuck! Brille un peu!

Chatoie! Poudroie! Lâche-toi!

Je sais, je sais...

Je sais ce que tu veux...

Tu veux que je dise à la face du ciel combien j'ai merdé et comme je mérite de déguster ma nuit encore un tantinet.

Eh ben, on y va, mémère... On y va...

Tourne la page.

Regarde, petite étoile, j'ai mis ma robe du dimanche et mes souliers vernis et je viens vers toi comme à confesse.

Ne fais pas attention à mes cheveux qui sont un peu lilas ces temps-ci et ne vois que mon petit cœur pur.

Un lis de la Madone...

(*Lilium Candidum.*)

Si j'en suis là, à m'étioler, à me faner, à me geler le bulbe et à te supplier dans la nuit de nous aider encore une fois, c'est parce que j'ai fait une petite bêtise...

Eh oui... Ça m'arrive encore de temps en temps, figure-toi...

Habituellement, c'est quand je bois trop de ti-punch et de rhums arrangés à La Paillote à Samy, mais là, j'étais aussi à jeun qu'on puisse l'être quand on se cogne une randonnée en famille avec des ânes et des cons dans le Parc national des Cévennes.

(Mais quelle idée, aussi?)

(Quelle idée, quelle idée, quelle idée…)

La regretté-je, cette petite bêtise?

Non.

Je trouve même que j'aurais dû cogner plus fort.

Tu vois, je t'avoue tout…

Et si tu n'absous pas mes pulsions, considère au moins ma franchise.

Car comme Billie Holiday et pour les mêmes raisons qu'elle : je ne regrette rien.

Je ne regrette rien et je ne regretterai jamais rien dans la vie parce qu'on m'en a déjà chouré un trop gros bout. Et un qui était censé être joli en plus… Donc, non, ne compte pas sur moi pour te lécher le plasma.

Je ne saurais pas faire.

Je n'ai jamais fait.

Quand on me colle au mur, je préfère prendre un fusil ou taper dur.

Je n'en suis pas fière, mais voilà… je suis comme ça et je sais déjà que je ne changerai pas.

Depuis ma naissance, je ne tiens que par ma volonté de tenir et le premier qui touche à mes tuteurs, si fragiles soient-ils, je le démolis.

En ce moment, il se trouve que mon tuteur préféré ne va pas très fort. Il est allongé près de moi, il souffre et ne me répond plus quand je lui parle. Si tu ne m'aides pas à le réparer, je te ferai disparaître, toi aussi. Oui, je m'arrangerai entre moi et moi-même pour ne plus jamais te voir.

Toi, tu t'en fous, t'es déjà morte, mais moi, j'ai encore une petite marge de manœuvre je te signale…

Moi, je sais recharger n'importe quelle arme et abattre n'importe quel petit animal craintif. Donc, en ce qui me concerne, je ne me fais aucun souci pour mon avenir sans lui.

Aucun.


Voilà. C'est dit.

Maintenant, je peux m'amuser encore un peu et te raconter nos super vacances…

Tout a commencé dans un bar de grand hôtel.

Tout commence presque toujours dans un bar de grand hôtel entre Franck et moi depuis quelques années…

Comme nous travaillons comme des brutes, nous nous retrouvons dans des endroits feutrés où tout n'est qu'ordre et beauté, riches, calme et volupté.

Je ne tombe plus dans les pommes quand je découvre les prix des consommations sur la carte pour la bonne raison que je ne les regarde plus.

Je dors rarement plus de six heures par nuit et je n'ai plus les moyens de m'offrir le luxe de ma radinerie.

Je permets aux gens de (se) faire très plaisir en (s')offrant de très jolies fleurs six jours sur sept de 11 heures à 21 heures et, pour me remercier d'être devenue cet inestimable trésor de bienfaits, je me vautre dans des fauteuils moelleux le septième jour et j'offre à mon pauvre ami réparateur de tiares et de diadèmes de reines tombées en poussière des cocktails qui valent mille fois plus cher que la peau de mon cul.

J'adore.

J'ai un compte à régler avec mon passé et je le règle rubis sur l'ongle dans des palaces cinq étoiles. Pour le coup, c'est un contrepoids qui tient bien la route.

Je ne sais plus dans quel hôtel nous nous trouvions ni ce que nous buvions, mais ce devait être fort agréable puisque j'ai fini par céder à son caprice.

Franck avait des vues sur un garçon ravissant qui partait faire une randonnée avec des « copains » (déjà, je n'aimais pas ce mot…) et leurs enfants dans les Cévennes et qui lui avaient proposé de se joindre à eux.

Les paysages seraient sublimes, la nourriture plus bio que nature, les cieux incomparables et les ânes trop gentils.

Et puis ça leur ferait du bien de marcher un peu, de faire du sport, de prendre un bon bol d'air et tout et tout.

Bon.

Franck voulait aller baiser à la belle étoile dans une ambiance saine, familiale et zoophile, pourquoi pas?

Non, s'énervait-il, tu n'as rien compris. Ce n'est pas du tout ce que tu crois. Celui-là, j'ai vraiment l'impression que c'est l'homme de ma vie et je n'y vais pas pour consommer, j'y vais parce que je suis romantique.

Bon.

Des hommes de sa vie, j'en avais déjà vu passer quelques-uns et je n'en étais plus à un bourricot près. J'ai cessé de ricaner.

Là où le bât commençait déjà à me blesser, c'est qu'il voulait que je l'accompagne. Genre chaperon. Genre demoiselle d'honneur. Genre pour bien montrer patte blanche et meilleures intentions. Genre pour faire famille aussi, quoi...

Oh là là, j'ai fait.

Moi ?

Marcher ?

Avec de gros godillots hideux qui pèsent une tonne chaque ?

Et un bob sur la tête ?

Et une gourde ?

Et un K-Way fluo ?

Et une pochette-banane ?

Et des moustiques ?

Et des gens que je connaissais même pas ?

Et des ânes que je saurais même pas tenir en laisse ?

Oh là là! j'ai conclu, zéro chance que ça arrive!

Mais à la fin, j'ai dit oui quand même.

Francky sait s'y prendre pour me ramollir la couenne et les cocktails ont assuré le reste du démantèlement de ma pauvre carcasse. Et puis ça fait partie du deal-de-la-chambre-d'hôtel-d'après-la-partie-de-chasse : nous osons rarement nous demander des faveurs, mais celles auxquelles nous tenons vraiment, nous n'avons même pas besoin de nous les demander.

Et puis, disons-le : ce serait la morte-saison dans ma petite boutique et ça me ferait du bien de laisser ma momie se déshydrater peinard pendant quelques jours. Donc, banco : nous sommes allés Au Vieux Campeur le lundi suivant et je me suis retrouvée avec des genres de Moon Boot en croûte de vachette aux pieds.

Trop belles...

J'avais décidé de prendre toute cette aventure à la rigolade et j'ai commencé là, dans la boutique. Je me la suis jouée pouf à fond et j'ai tout essayé en hésitant pendant des plombes.

Franck voulait de la bourrique, il en aurait.

En vérité, j'étais très contente de partir en vacances avec lui. Voilà des années que nous ne nous voyions plus qu'entre deux portes tambour et il me manquait. Nous me manquait.

En plus, ça tombait pile poil dix ans après nos répétitions d'Alfred de Musset et ça, ça me plaisait. La perspective de le rendre chèvre pendant une semaine au milieu des moutons, c'était un beau cadeau d'anniversaire.

Dix ans. Dix ans déjà qu'on ne baratinait pas avec l'amour et il était déjà, je ne me faisais aucune illusion sur mon cas, ma plus grande histoire possible...

Rétrospectivement, le youkaïdi youkaïda a commencé à sentir le roussi dès notre rencard à la gare de Lyon.

Eh oui, parce que tout homme de sa vie qu'il était sûrement, le Arthur de mon Francky, j'avais la nette impression que c'était plutôt moi qu'il chauffait sur le quai.

Ho, ho, ricanais-je sous mon bob, mauvaise pioche, mon petit presbyte chéri, mauvaise pioche…

Bon.

J'ai fait l'imbaisable et je n'ai rien dit.

D'abord on peut être à voile et à vapeur en plus d'être ferroviaire et puis j'étais vraiment en mode vieille fille à ce moment-là de ma vie.

J'avais trop de retard dans ma compta pour me permettre de conter fleurette au premier allumeur de réverbères venu. Alors, qu'ils se démerdent avec leurs culs, Franck et lui. Le mien était en berne.

Merde, c'était des vacances ou quoi?

Donc, bonne copine, je te l'ai refroidi vite fait le petit Arthur en Ray-Ban Aviator et leur ai laissé les deux places ensemble dans le sens de la marche.

Et j'ai dormi pendant tout le trajet.

Sérieux, la perspective de crapahuter dans des rochers avec mes boulets aux pieds, ça m'épuisait déjà...

Ensuite, on nous a convoyés jusqu'à un super gîte super familial avec plein d'autres super bobos super excités de marcher avec des super ânes super mignons et des super quignons de pain et du super frometon et là, direct, j'ai baissé le rideau et je me suis remise en défensive.

Hé, pas comme quand j'étais petite, hein? Non, non! Rien à voir! Simplement, voilà : j'accompagnais Franck et basta. Qu'on ne vienne pas me faire chier en plus avec de la convivialité.

J'étais une commerçante qui commerçait tout le reste de l'année et là, j'avais surtout besoin de décrocher des rapports humains. Et surtout des sympathiques.

Je ne faisais pas la gueule, j'étais juste en congé.

Tout ça, c'était trop familial d'un coup pour moi et je savais déjà que je n'avais pas les moyens techniques d'assurer ma part d'excitation générale.

Toi Franck, moi Billie. Moi venir avec toi, toi pas demander plus.

Comme il m'aime et me connaît bien, il m'a laissée tranquille.

Nous dormions dans la même tente et, le deuxième soir, il m'a avoué qu'il leur avait dit à tous de ne pas m'en vouloir si j'étais si taciturne... Que c'était parce que je traversais un gros chagrin d'amour...

Je lui ai répondu qu'il avait bien fait vu que je suis toujours plus ou moins en train de traverser un gros chagrin d'amour et, quelques secondes de sourires plus tard, j'ai pas pu m'empêcher d'ajouter que c'était même l'histoire de ma vie, non ? Et là, genre on a gloussé dans nos duvets pour nous faire croire que j'étais vraiment trop trop rigolote, comme fille.

J'adorais dormir dans cette petite cabane avec lui (j'avais bien réparti les tâches : moi je la lançais en l'air (2 secondes) et lui, il la repliait (2 heures)), je sortais ma flasque de gnôle et on se racontait plein de trucs. On disait du mal du groupe, on ricanait, on pouffait, on faisait du mauvais esprit, on se racontait nos vies, nos bouts de feuilletons de l'autre qu'on avait loupés, nos bouquets, nos commandes, nos histoires de boulot, de bagues, de clients et de bracelets.

Franck m'imitait aussi certains youkaïdis de la rando encore plus gratinés que les autres et je riais comme une baleine.

Je riais tellement que, parfois, notre tente était au bord de s'envoler. Les autres devaient penser que je m'en remettais bien vite de mon grand chagrin d'amour...

Bah, je m'en foutais...

Je m'en fous des autres... Je n'aime que mes vis-à-vis.

Et mon chien.

À un moment, on nous a séparés en trois groupes pour une histoire de sentiers trop fragiles et on s'est donc retrouvés avec des « nouveaux » dont une famille très propre sur elle et bien dégagée derrière les oreilles.

Bien que le garçon et les deux petites filles fussent ('tain, j'en ai placé un! 10 points! Ten points pour Billie qui cause si bien la France!) très sages, leurs parents avaient l'air grave au taquet avec tous leurs principes de Grands Éducateurs Infaillibles.

Ils avaient encore les autocollants de la Manif Pour Tous sur leurs sacs à dos et nous ont demandé, à Franck et à moi, si nous étions fiancés et si nous allions nous marier.

Pauvres, pauvres hères...

Franck, occupé avec les vivres, n'avait pas entendu la question, du coup je leur ai répondu qu'on était frère et sœur.

Ben, ouais... Je voulais pouvoir continuer de hurler de rire toutes les nuits dans ma petite tente avec ma petite tante sans qu'ils viennent nous balancer un seau d'eau froide sur le dos...

Nous marchions derrière eux et, du menton, j'ai indiqué le fameux autocollant à Franck pour le faire sourire, mais il était un peu choubidou et n'a pas réagi.

Son Arthur s'était barré avec un autre groupe de Minimoys où y avait une petite Sélénia de vingt ans qui était bête à pleurer mais qui se réfléchissait trop bien dans ses verres miroir et ça l'avait un petit peu déçu de la vie... Bah, je lui ai fait en lui poquant les côtes : « Tu m'as, moi... » et comme il ne se détendait pas, j'ai sorti la trousse de secours :

— Que me conseilleriez-vous de faire le jour où je verrai que vous ne m'aimez plus ? je lui ai demandé comme ça.

— De prendre un amant, il m'a répondu du tac au tac.

— Que ferai-je ensuite le jour où mon amant ne m'aimera plus ? j'ai insisté.

— Tu en prendras un autre.

— Combien de temps cela durera-t-il ?

– Jusqu'à ce que tes cheveux soient gris, et alors les miens seront blancs, il a souri.

Et hop, c'était reparti pour un tour. Après ça, il avait de nouveau la patate. (Ah, nan! Plus jamais, on a dit!)

Et après ça, il avait de nouveau la pêche.

Vive Alfred.


Nous on avait pas d'âne parce qu'on avait pas de gamins.

La famille Biendégagée, elle avait des gamins alors elle avait un petit âne gris trop chou qui s'appelait Bourriquet. (Super original.) J'en avais peur, mais je l'aimais bien quand même…

(Lui, Franck, avec ces gens-là, il n'était pas près d'avoir, ni de mari, ni de famille, ni de gamins, ni de dignité, ni de respect, ni de pardon, ni de paradis, alors un âne, c'était même pas la peine d'y penser.)


Bourriquet…

Je l'appelais Boubou et de temps en temps je lui donnais des trucs à bouffer en lousdé.

M. Biendégagé me regardait d'un air mauvais vu que c'était bien précisé dans le règlement qu'il ne fallait *jamais* nourrir les bidets pendant qu'ils convoyaient.

C'était la règle numéro un, avait bien répété le monsieur Hertz des cadichons : Tout ce que vous voulez quand ils sont débâtés, mais plus un brin d'herbe autrement. Sinon... sinon je me souvenais plus... sinon ça leur détraquait le GPS, je crois...

Bon, moi quand je finissais une pomme, j'allais pas jeter le trognon aux fourmis alors qu'il y avait ce gentil petit Bourriquet qui la reluquait depuis un quart d'heure, hein?

C'est bon, on n'est pas des bêtes.

Entre M. Biendégagé et moi, ça commençait déjà à sentir un peu la merde.

J'aimais pas comment il parlait à sa femme (comme à une conne) et j'aimais pas comment il parlait à ses enfants (comme à des cons). (Dès que je m'énerve, je lourde les négations, vous avez remarqué?) (Chassez le naturel et, direct, y a les Morilles qui refoulent à mon goulot.) (Direct.) (Hélas.)

Il n'arrêtait pas de flairer Franck parce qu'il commençait à se douter que c'était un homme oh, comme ils disent et ça me mettait dans un état de nerfs pas possible. Cette façon qu'il avait de lui flairer le cul comme si c'était un chien, ça me débectait.

Et puis il avait le don de gâcher tous les bons moments. Si la petite cueillait une fleur pour l'offrir à sa maman, c'était grave parce que c'était une espèce protégée. Si le gamin voulait regarder avec les jumelles, il fallait qu'il attende parce que ses mains étaient trop sales. S'il avait faim, c'était non parce que c'était pas encore l'heure du goûter. S'il voulait tenir l'âne, c'était non parce qu'il risquait de le laisser s'échapper. S'il voulait faire des ricochets, jamais il n'y arriverait parce qu'il ne se donnait pas assez de mal. (Du mal… Se donner du mal pour faire des ricochets… Non, mais quel connard…)

Si l'autre petite passait encore une fois derrière l'âne, elle allait se prendre un coup de pied qui risquait de la tuer. (Mon Boubou… N'importe quoi…) Si madame disait que la vue était belle, il répondait qu'elle serait mieux de l'autre côté de la colline, si elle prenait une photo de ses mômes, il lui prédisait qu'elle serait ratée vu qu'elle était à contre-jour et si elle finissait par accepter de porter sa petite, il levait les yeux au ciel en lui rappelant que ce n'était pas une bonne idée de céder à tous ses caprices comme ça.

Bon.

J'ai ralenti le pas et j'ai fait celle qui s'intéressait vachement à la faune et à la flore pour me refroidir.

Fais chier ton monde loin de mon âme, sale petit kapo, moi je regarde quelles graminées je mettrai dans mes bouquets…


Au moment du pique-nique, il s'est assis à côté de Franck pour faire genre franche camaraderie virile et il lui a demandé comme ça si on voulait des enfants, nous aussi.

Francky m'a jeté un coup d'œil qui voulait dire : Ne t'en mêle pas, je t'en supplie, et il lui a répondu une connerie évasive pour noyer le sujet.

Pendant que nous rabibochions nos sacs sur le dos de Boubou, il m'a glissé à l'oreille :

– Hé, Billie, tu ne me fais pas d'embrouilles avec ce type, hein ? Dans l'autre groupe, il y a une de mes collègues de travail que j'aime beaucoup et je ne veux pas de scandale, OK ? Moi aussi, je suis en vacances...

J'ai hoché la tête.

Et je me suis calmée.

Pour lui.

Le soir, au refuge, il a fabriqué des bâtons de marche pour les enfants avec son joli couteau.

Comme c'est un ciseleur hors pair, à la fin, il leur a tendu à chacun un petit bijou et leurs sourires étaient trop craquants.

Ils avaient tous eu droit à leurs initiales et à un symbole personnalisé gravé dans l'écorce. Pour le garçon, une épée et pour les filles, une étoile et un cœur.

J'ai fait un énorme caprice alors j'ai eu le mien, moi aussi. Un bâton plus long et plus gros avec un B artistique et la tête de mon chien juste en dessous. Quand il me l'a offert, j'avais exactement le même sourire que les petits, mais en beaucoup plus gamin.

Ensuite, on a dormi comme des loirs.

★

Le lendemain matin, j'étais de nouveau de bonne humeur.

Note, petite étoile, je n'avais pas tellement le choix car le paysage était vraiment très beau...

Rien ne résiste à tant de beauté... et surtout pas la connerie humaine... donc tout allait bien. Comme il me voyait détendue, Franck s'est détendu aussi et comme on n'avait pas droit à un petit âne vu qu'on vivait dans le péché, on est partis devant pour ne plus prendre le risque de nous laisser crisper par l'autre empêcheur de jouir en rond.

Après tout, chacun sa vie, hein?

Mais oui...

Chacun sa vie...

Dieu est malin et reconnaîtra les siens...

À un moment, on a croisé un énorme troupeau de moutons. Bon, au début, ça allait, mais après j'en avais un peu marre...

Quand t'as maté un mouton, c'est un peu comme si tu les avais tous vus, ça manque de nuance. J'étais en train de tirer Franck par la manche pour qu'on regagne le GR bidule, sauf que, patatras, Jésus.

Mon Francky : foudroyé.

La Vision. L'Apparition. La Révélation. La Fulguration. Les Palpitations. Le Coup de bambou sur la chetron.

Le berger.

Sérieux, j'avoue, il ressemblait vraiment à Jésus-Christ et il était trop, trop sexy...

Beau, souriant, bronzé, cuivré, doré, sec, musculeux, barbu, bouclé, cool, calme, lumineux, torse nu, en short-pagne avec des sandales en cuir et un bâton noueux.

Franck était exactement comme le loup de Tex Avery, mais en plein milieu d'un troupeau de moutons encore en plus.

À voir, c'était divin...

Hé, mais moi aussi j'étais chaude pour retourner communier direct, hein !

On a un peu discuté... enfin... on a essayé de discuter au lieu de le mater...

Franck lui demandait si ce n'était pas trop pesant la solitude (le gros malin...) et moi je lui posais des tas de questions sur son clebs et puis on a vu nos amis Biendégagés et C$^{ie}$ qui se pointaient au loin et on l'a salué pour aller les rejoindre sans les rejoindre parce qu'on avait peur de se perdre.

Juste avant, on lui a demandé où il allait et il nous a indiqué une petite montagne par là-bas.

Bon, ben au revoir, alors...

Ah ! Seigneur... Que Vous êtes cruel avec Vos ouailles ! La messe était dite, mais elle fut bien trop courte !

Inutile de préciser que je n'ai plus cessé d'emmerder Francky avec ça dans les heures qui ont suivi.

Au moment du pique-nique, M. Biendégagé lui a demandé s'il voulait du saucisson.

– Seulement si c'est du Bâton de Berger ! j'ai répondu et ça m'a fait glousser pendant au moins deux minutes non-stop.

Quand j'ai enfin réussi à me calmer, j'ai ajouté :

– Mais, hé... celui aux noisettes, hein ?

Et c'était reparti pour deux minutes de plus.

Pardon.
Mille pardons.
Mme Biendégagée a fini par s'inquiéter et Franck lui a dit en soupirant que j'avais des problèmes d'allergie avec le pollen.

Et, hop, deux minutes de rab.

Aaah… Je commençais à bien l'aimer, cette petite balade, moi !

Franck mimait l'accablé, mais il était tout jouasse lui aussi…

On sait d'où on vient, tous les deux, et à chaque fois qu'on voit l'autre heureux, ça nous fait un peu l'effet Kiss Cool + 1. On savoure pour l'autre, on savoure pour soi et on savoure encore pour le grand kif que ça procure, de foutre en l'air la donne de départ.

Pour fêter ça, j'ai attendu que la Schlague Pour Tous s'éloigne pisser et j'ai donné une pomme entière à mon petit Boubou.

Il l'a gobée direct et, pour me remercier, il m'a rouflouflouté un genre de gros bisou chaud et venteux dans le cou.

Oooh… je commençais déjà à le regretter… En plus, devant ma boutique avec un chapeau de paille à deux trous et des paniers remplis de fleurs sur le dos, il aurait été trop, trop classe…

Donc, voilà, petite étoile… Tout allait bien et si tout a dégénéré, ce n'était vraiment pas de notre faute, vu que nous, sérieux, on avait été touchés par la grâce et on marchait sur l'eau.

On était transfigurés.

On adorait notre trip dans les Cévennes.

On l'a-do-rait.

Des petites brebis, tout ce qu'il y avait de plus converties !

Le pique-nique terminé, on a décidé de s'accorder une pause parce qu'il faisait très chaud et que la petite s'était endormie dans les bras de sa maman.

(Je sais, je ne devrais pas le dire… ça ne sert à rien… à rien du tout… mais vraiment… ça me faisait bizarre…)

Moi, je sais que je n'aurai jamais d'enfants. Et ce n'est pas une expression à la con. C'est une certitude tripale. J'en veux pas. C'est tout. Mais quand je voyais le visage de cette dame qui regardait celui de sa puce et comment elle se démerdait pour la garder à l'ombre en se déhanchant comme elle pouvait et en se raclant le cul sous cet arbre tout en faisant super gaffe de ne pas la réveiller au passage, je ne pouvais pas m'empêcher de me dire que ma mère devait être vraiment super mal dans sa tête… Super super mal… Vu que moi, j'étais encore plus petite que ça…

(Bref. Sans intérêt.)

Pour ne plus y penser je me suis mise en travers et je me suis assoupie sur le ventre de mon Francky.

Et tac. Encore niquée, la vie.

☆

Je ne sais pas si c'était à cause de la fatigue de
la marche, du ventre du berger ou de la scène de
la Mère à l'Enfant, mais j'ai mal dormi cette
nuit-là...

Et même, je n'ai pas dormi du tout.

Et le pauvre Franck a mangé aussi. Comme je
suis égoïste et que je ne voulais pas rester toute
seule avec mon insomnie, j'essayais de taper la
discute encore et encore. Et, bien sûr, quelle sale
petite rate je fais, de blablas en détours, j'ai fini
par arriver à mes fins et à murmurer dans le noir
que moi, je n'avais pas quatre ans mais onze mois
et que vraiment, je ne comprenais pas...

Il était soûlé. Je crois que lui, il était plutôt parti
pour prier Jésus toute la nuit avec son petit chapelet maison, alors il m'a un peu envoyée au diable.

Du coup, j'ai encore moins dormi et du coup,
lui pareil.

Donc voilà, petite étoile... Tu vois, je commence déjà à te préparer le terrain : quand on a repris la route ce matin-là pour aller rejoindre le reste du groupe sur le plateau de je ne sais quoi, la carte postale de vacances, elle était déjà un peu cornée...

C'était la première fois de ma vie que j'étais confrontée à une maman en action, et une gentille en plus, et ça me faisait un sale effet. Je ne disais rien et je continuais de faire ma bécassou comme avant, mais je sentais un truc au fond de moi qui commençait à envoyer des fusées de détresse.

Au lieu de regarder le ciel, le soleil, les nuages, le beau paysage, les papillons, les fleurs et les cabanons en pierre, j'étais obnubilée par cette femme.

J'écoutais le son de sa voix, je regardais où se posaient ses mains sur le corps de ses enfants (toujours les endroits les plus doux : la nuque, les cheveux, les joues, le potelé des petits mollets), ce qu'elle leur donnait à manger, comment elle répondait toujours à leurs questions, comment elle ne se gourait jamais de prénom et cette façon qu'elle avait de toujours les tenir du coin de l'œil en douce et... et ça me tuait.

Ça me tuait en moi toute cette tendresse... Toute cette injustice... Tout ce manque en creux qui me sautait à la gueule à chaque fois que je tournais la tête de son côté...

Du coup, je collais Franck comme une sangsue et comme je sentais que je l'énervais, je me suis mise en quarantaine toute seule.

Après le déjeuner, vu que j'étais toujours aussi délabrée, j'ai demandé à tenir le petit Bourriquet.
Que j'arrive à surmonter au moins *une* de mes angoisses...

L'adjudant Biendégagé m'a passé la main en me lâchant mille recommandations débiles (genre il me confiait un pitbull de combat qui n'avait rien bouffé depuis une semaine et qu'était sous amphètes et tout ça) et moi, pour me changer les idées, je me suis lancée dans un plan drague d'enfer.
Je lui susurrais, dans sa grande oreille qui cliquetait de plaisir : T'es sûr que tu veux pas venir à Paname avec moi? Je te filerai toutes mes roses fanées à bouffer et je t'emmènerai draguer les petites ânesses du jardin du Luxembourg... En plus, je récupérerai ton crottin, je le mettrai dans des petits sacs en toile de jute trop mignons et je les vendrai à prix d'or à tous ces charlots qui se font des potagers à la con sur leurs balcons...
Allez, dis oui, quoi... T'en as pas marre de porter des sacs Quechua, toi aussi? T'as pas envie de mener la grande vie? Je te teindrai la crinière en bleu lavande et on ira boire des mojitos sur les Champs...

Parce que j'ai remarqué que t'aimais bien ça, toi aussi, les feuilles de menthe, hein mon petit ami?

Allez, mon Boubou... Sois pas têtu, quoi...

Ses grands yeux doux me regardaient gentiment. Il n'avait pas l'air contre et se frottait à mon bras de temps en temps pour chasser les mouches et me forcer à continuer de le faire braire encore un peu avec toutes mes bêtises.

Du coup, j'allais mieux.

J'allais mieux et je ne prêtais plus attention à la douceur de maman Biendégagée et à la connerie intersidérale de son mec.

Tu vois, petite étoile, c'était pas prémédité tout ça. J'avais fini par la déglutir, cette sale petite bouchée de Morilles qui m'empêchait de vivre depuis la veille et il n'y avait plus rien de haineux en moi.

Tu me crois, j'espère?

Il faut me croire.

À Franck et à toi, je dis toujours la vérité.

★

Bon, t'es prête?

OK. Je passe à table alors...

À un moment, le petit garçon qui en rêvait depuis des jours et des nuits, a encore demandé s'il pouvait tenir le petit âne, lui aussi.

Son père a dit non et moi, j'ai dit oui.

Exactement en même temps.

Et, là, déjà, gros blanc dans la conversation.

– Ça va, j'ai ajouté, il est tout calme et tout gentil... Regardez, moi, j'en avais une trouille bleue et puis tout s'est bien passé... Si vous voulez, je reste juste derrière votre fils au cas où il y aurait un problème, OK ?

M. Biendégagé l'avait super mauvaise, mais il a été obligé de céder parce que tout le monde lui disait que j'avais raison, que c'était pas un âne, le nôtre, mais un agneau et qu'il fallait faire confiance aux enfants et tout le toutim.

HeilHitler a fini par céder, mais on sentait qu'il plaçait son gamin dans le viseur de son fusil à pompe et que le petit n'avait pas intérêt à merder.

Ambiance.

Le môme était trop jouasse. On aurait dit Ben-Hur au volant de sa Lamborghini.

Comme promis, je me tenais derrière lui et, comme sa maman, quelquefois, je touchais ses cheveux en douce.

Juste comme ça.

Pour voir...

Et, puisque tout se passait bien, on a tous fini par se détendre.

Une demi-heure plus tard à peu près, il a annoncé qu'il en avait marre de tenir Bourriquet et qu'il voulait me le rendre pour retourner chercher des fossiles.

– Pas question, a rétorqué son père, trop content de pouvoir rasseoir son autorité aux yeux du groupe, tu as voulu le tenir, eh bien, maintenant, tu le tiens jusqu'au bout. Tu apprendras qu'on assume ses choix dans la vie, mon cher Antoine. Tu as décidé de te porter responsable de cet animal, fort bien, alors maintenant, tu te tais et tu le mènes jusqu'au campement, c'est compris?

Nan, mais qu'est-ce que c'était que ces conneries encore?

Ho, ho… Il fallait vraiment que je me mêle pas de cette conversation, moi…

Ho, ho… T'es où, mon Francky?

Reste pas trop loin de moi, mon chat, parce que je sens que y a ma chemise qui commence à se craquer au niveau des emmanchures, là…

Et j'ai le teint qui commence à verdir aussi un peu, non?

Alors ce petit Antoine, qui était super mignon, super bon marcheur, super gai, super courageux, super facile à vivre, super affectueux et super gentil avec ses petites sœurs, s'est mis à pleurnicher en appelant sa maman.

Et là, son père lui a donné une méchante petite claque derrière la tête pour lui apprendre la vie.

Oh, putain...
Oh, je la reconnaissais, celle-ci...
Je la reconnaissais parce que je la connaissais par cœur.
C'était la pire.
La plus lâche d'entre les plus lâches.
La plus vicieuse.
La plus douloureuse.
Celle qui ne laisse pas de marque et qui te décolle le cervelet dans la seconde.
Celle qui te fait le coup du lapin en interne.
Celle que personne ne soupçonne jamais et qui te brinquebale tellement la boîte crânienne que tu restes un moment sans pouvoir penser et tout le reste de ta vie un peu secoué.

Oh, putain...
Ma petite madeleine de Proust à moi...
Bon, tout ça, je n'y ai pas pensé sur le moment, bien sûr. D'ailleurs, je n'y ai pas pensé du tout puisque c'est tatoué dans ma chair.
Et puis je n'avais pas le temps de penser vu que j'étais déjà en train de décrire un grand arc de cercle derrière mon dos avec mon super beau bâton Van Cleef de mon Francky et que je lui ai explosé la gueule direct à ce monsieur bien

propre sur lui qui venait de lever la main sur un enfant.

Direct.
Explosée.

Plus de nez.
Plus de bouche.
Plus rien.

Que du sang, entre ses doigts et sur tout son visage.
Et des cris.
Des cris de porc, forcément.

Oh, le bordel...
En plus, à cause de mon geste brusque et du bâton levé, l'âne avait pris peur et s'était barré au triple galop jusqu'à Katmandou avec tous les vivres sur le dos.
Oh, le bordel...

Et comme tout le monde me regardait comme si je l'avais canné, j'en ai remis une couche pour le ressusciter, ce cogneur de gentil petit garçon :
— Alors ? que je lui ai fait de ma voix méconnaissable des grands soirs, t'as vu ce que ça fait ? T'as vu ce que ça fait d'être frappé par surprise ? T'as vu comme c'est déplaisant ? Tu recommences

jamais ça, hein? Parce que la prochaine fois, je te tuerai.

Et comme il ne pouvait pas me répondre vu qu'il mastiquait ses dents, j'ai continué :

– T'inquiète, je vais me casser illico parce que j'en peux plus de supporter ta sale gueule de facho, mais je vais te dire un dernier truc avant de partir, connard... Hé, regarde-moi... Tu m'entends? Alors écoute-moi bien : tu le vois, mon ami, là... (et en même temps que je disais ça, je n'osais pas regarder dans la direction de Francky évidemment) (pas tous les courages le même jour...), eh ben, il est pédé... et moi, je suis gouine... eh, ouais... Et figure-toi que toutes les nuits, dans notre petite tente, eh ben, ça nous empêche même pas de faire des trucs vraiment immondes avec nos corps, tous les deux... Des trucs que tu peux même pas imaginer... Il éjacule rarement en moi, je te rassure, mais imagine qu'on se loupe un soir de grosse beuverie... Imagine... Eh ben, si y avait un môme qui devait naître de toutes ces saloperies entre un pédé et une gouine, tu sais quoi? Non seulement, on le gardera juste pour te faire chier, mais en plus, on le tapera jamais, nous. Jamais tu m'entends? Jamais, on ne lui fera le moindre mal. Jamais, jamais, jamais... Et si vraiment, y nous emmerde trop et qu'y nous empêche de retourner à nos partouzes, tu sais quoi? On le butera, mais on fera ça bien... Je le jure sur la tête de tes gosses qu'il ne souffrira pas. Juré, craché. Allez... Salut la compagnie... Et bonne bourre...

Et là, j'ai craché à ses pieds et je suis partie dans la direction de mon berger.

Parce que j'étais, moi, dans la Foi, la Vie, la Lumière et la Vérité.

☆

J'ai marché droit devant moi pendant des heures et des heures.

Droit vers la montagne de Jésus.

Je ne me suis même pas retournée une seule fois pour voir si Franck me suivait.

Je le savais, qu'il me suivait.

Qu'il me haïssait, mais qu'il me suivait quand même.

Qu'il me haïssait et qu'il me remerciait en même temps.

Et que ça devait être bien le bordel dans sa tête.

Parce que entre l'autre pète-couilles et son paternel, y ne devait pas y avoir une si grande différence que ça...

Ça se trouvait, y faisaient partie de la même cellule de Nettoyeurs de l'Occident...

À un moment, je me suis figée devant un genre de vide au-dessus des montagnes.

D'un, parce que c'était la fin du sentier, de deux, parce que je n'entendais vraiment aucun bruit de pas derrière moi depuis des heures et des heures.

Aucun.

Je me suis figée sur place et j'ai attendu.

La foi du charbonnier, c'est bien, mais je ne suis pas charbonnière, moi. Je suis fleuriste.

Et en plus, comme dirait le poète, y a pas d'amour.

Y a que des preuves d'amour.

Je me suis figée et j'ai regardé ma montre.

Si dans vingt minutes, il n'est pas là, je me suis dit, je rends le bail de la rue de la Fidélité.

J'ai beau faire ma faraude de temps à autre, je suis quand même une petite chose fragile, moi aussi.

Merde. C'était autant pour lui que pour moi que j'avais pété un câble.

Menteuse.

Oui, j'avoue. Ce n'était que pour moi.

Même pas pour moi, d'ailleurs... Pour une petite fille que je côtoyais quand j'étais petite fille...

Une petite fille à qui je n'avais jamais eu l'occasion de dire que même si elle puait les mois d'hiver, elle restait mon amie et qu'elle pouvait toujours entrer dans mon groupe et s'asseoir à côté de moi en classe.

Toujours.

Et pour toujours.

Bon, ben, voilà. Maintenant, c'était fait.

Elle l'avait, elle, sa preuve d'amour...

Si dans dix-neuf minutes, il n'est pas là, je me suis répété en serrant les dents, je rends le bail de la Fidélité.

Et pile dix-sept minutes plus tard, une voix derrière mon dos m'a postillonné son venin :

– Hé ? Tu sais quoi ? Tu fais chier, la Morille... Tu fais vraiment vraiment chier !

J'en aurais chialé de bonheur.

C'était la plus belle et la plus romantique déclaration d'amour qu'on m'avait jamais faite de toute ma vie...

Je me suis retournée, je lui ai sauté au cou et je ne sais pas comment je m'y suis prise mais en sautant dans ses bras comme ça, je nous ai entraînés tous les deux dans le vide.

On a débaroulé un genre de pente rocailleuse

de merde et on s'est retrouvés tout en bas, en plein dans des buissons super piquants et plus ou moins en mille morceaux.

Ensuite, on a rampé comme on a pu vers un endroit un peu plus plat et on a commencé à se faire la gueule pour de bon.

Voilà, petite étoile, voilà... C'est fini... Et si tu veux nous retrouver en live et pour les bonus, reviens au premier épisode de la saison 1 parce que moi, je n'ai plus rien à ajouter.

☆

Hi, hi, hi !
Je rêvais que Franck me chatouillait.
Hi, hi, hi ! Mais… euh… arrê-teuh…
Et quand j'ai ouvert les yeux, j'ai compris que je m'étais finalement endormie et que ces petits guilis, ce n'était pas Francky en rêve, mais Bourriquet qui me faisait les poches.

– Ton nouvel ami a envie d'une pomme, on dirait…
Je me suis redressée en grimaçant, toujours à cause de mon bras en vrac et je l'ai vu qui était là, bien tranquille, assis sur un rocher en train de se faire un petit café.

– Le petit déjeuner est servi, il a dit.
– Francky ? C'est toi ? T'es pas mort ?
– Non, pas encore… T'as pas encore réussi ton coup…

– T'as rien de cassé?

– Si. La cheville, je crois…

– Mais euh… j'avais du mal à remettre les morceaux du puzzle dans le bon sens, là… mais… tu… t'étais pas dans le coma?

– Non.

– Ben, tu faisais quoi, alors?

– Je dormais.

'Tain, il était gonflé, lui… Et tout ce souci qu'il m'avait causé alors?

'Tain, il était gonflé…

'Tain, il était gonflé!

Monsieur dormait…

Monsieur se reposait…

Monsieur ronpschitait à la belle étoile…

Monsieur s'était endormi bien peinard dans les bras de cette petite pute de Morphée pendant que je me goinfrais ma misère…

Monsieur craignait.

Monsieur me décevait.

Toute cette angoisse quand il avait fait semblant de tomber dans les pommes… Et comment j'avais ramé pour nous faire beaux toute la nuit… Et tout ce que j'avais été obligée de remuer comme fumier pour qu'on ait l'air présentables… Et tout ce que j'avais dû faire comme tri en sourdine parce que je préférais inspirer le respect plutôt que la pitié.

Oui, tout ce mikado bien relou avec mes jolis souvenirs d'enfance pour pouvoir récupérer les utiles en ne touchant surtout pas à ceux qui n'auraient servi à rien d'autre qu'à m'enfoncer dans ma nuit encore un peu plus loin.

Tout ce travail de dentellière pour faire du joli avec de la merde...

Tout ce courage...

Toute cette tendresse...

Tout cet amour...

Et comme j'ai eu froid... Et comme je me suis sentie seule... Et comme j'ai été triste... Et tout ce que je m'étais donné comme mal pour nous faire aimer d'une morte... et... et son 3615 Petite Branlette Artistique en plus du reste et...

'Tain, j'avais bien les boules, là...

Bien, bien, bien...


– Et le bourricot, il est venu comment? j'ai demandé.

– Je ne sais pas. Il était là quand je me suis réveillé...

– Mais il est passé par où?

– Par le petit chemin là-bas...

– Mais... euh... comment il a fait pour nous retrouver?

– Ne me demande pas... Encore un âne assez bête pour tenir un peu à toi...

– ...

– Tu boudes?

– Ben, ouais, je boude, mon con! Je me suis fait vachement de souci, figure-toi! Et j'ai pas fermé l'œil de la nuit…

– Je vois ça…

Oh, je l'avais mauvaise, dis donc, et son café, il pouvait se le mettre où je pense.

– Tu m'en veux? il a demandé avec sa petite bouche de faux derche de petit réparateur de bijoux de famille de mes deux.

– …

– Tant que ça?

– …

– Vraiment tant que ça?

– …

– Vraiment, vraiment?

– …

– Tu t'es vraiment fait du souci pour moi?

– …

– Tu croyais vraiment que j'étais dans le coma?

– …

– T'étais triste?

– …

– Très très triste?

– …

C'est ça. Continue, gros con. Fous-toi de ma gueule encore en plus…

Silence.

Il s'est approché en boitillant et il a posé une tasse fumante à côté de moi avec une tranche de pain d'épice.

J'ai même pas bougé un seul cil.

Il s'est assis comme il a pu avec sa patte raide et il m'a dit d'une voix très gentille :

– Regarde-moi.

Phoque you.

– Billie djinn, regarde-moi.

Bon, crrr... crrr..., j'ai actionné ma nuque de trois millimètres vers le haut.

– Tu le sais, que je t'adore, il a murmuré en me regardant droit dans les yeux. Que je t'adore plus que tout au monde... Tu le sais depuis le temps, n'est-ce pas?

– ...

– Si. Tu le sais. Tu ne peux pas faire autrement, de toute façon... Mais, là, voilà presque quatre nuits d'affilée que tu m'empêches de dormir et... et tu es épuisante, tu sais? Épuisante, épuisante, épuisante... Tellement fatigante que quelquefois, pour tenir le coup à tes côtés, eh bien, il faut faire semblant de mourir un peu... Tu peux le comprendre, ça, non?

– ...

– Allez, bois ton café, mémère...

Je pleurais.

Alors il a encore rampé jusqu'à moi et il m'a fait un gros câlin du matin, chagrin.

– J'ai-ai cru que t'éé-tais mooor-reuh, j'ai hoqueté.

– Mais non...

– J'ai-ai cru que t'éé-tais mooor-reuh et que j'aaa-llais me tuer au-au-ssi...

– Oh, Billie, tu me fatigues... il a soupiré. Allez, bois ton café et mange un peu. On n'est pas encore tirés d'affaire.

Et j'ai mastiqué mon pain d'épice tout dégueulasse à la confiture de larmes.

Et je pleurais encore plus parce que je-euh dé-éé-testais le pain d'é-pi-ii-ce-euh...

On est repartis comme on a pu, clopin-clopant dans le soleil et dans le vent.

J'avais fabriqué une attelle à Franck avec des bouts de bois et de la ficelle et il se tenait à Bourriquet comme à un déambulateur.

Ce n'était plus nous qui le guidions, ce petit âne providentiel, c'était lui qui nous ramenait au bercail.

Du moins l'espérions-nous…

Au bercail ou n'importe où.

N'importe où, mais pas auprès de ma dernière victime, hein ?

Hein, Bourriquet ? Tu me fais pas ce coup-là, OK ?

S'il te plaît…

Non, non, qu'il répondait, je vous ramène à l'écurie.

Moi aussi, j'en ai plein la croupe de toutes vos conneries…

Bon.

On lui faisait confiance.

Clopin-clopant,

dans le soleil et,

daaans le vent.

(Bon, là, c'est sûr, ça rend mieux si on a l'air dans la tête.)


Il était vraiment trop mignon, ce petit âne.

Je reviendrai le chourer un jour, tiens…


Sinon, je ne parlais plus.

Du tout.

Macache.

Trop d'émotions, trop de fatigue, trop de dou-leur et trop vexée, aussi, il faut bien le dire…

Franck a essayé à deux ou trois reprises de lancer un sujet de conversation, mais je l'avais laissé retomber entre nous deux comme un vieux tas de crottin tout pourri.

C'est bon. Je suis pas une sainte, non plus…


Il aurait pu me parler au moins une fois dans la nuit…

Rien qu'une.


Je lui en voulais à mort.

En plus, je m'étais ridiculisée devant toutes ces

étoiles froides qui n'en avaient rien à foutre de mes histoires.

Et j'avais pleuré et tout.

Mais quelle conne…

Silence.

Gros silence dans le soleil et le grand froid sibérien.

Et puis… au bout d'une heure, peut-être… j'ai fini par craquer.

J'en avais marre d'être toute seule dans ma tête depuis la veille au soir. Trop, trop marre. J'étais en trop mauvaise compagnie. Et puis, je m'ennuyais de lui. Je m'ennuyais de mon salopard d'ami.

Alors j'ai dit comme ça :

– Dis donc, y fait chaud, non ?

Et il m'a souri.

Ensuite, on a discuté de choses et d'autres comme au bon vieux temps, mais sans jamais faire la moindre allusion à mes derniers exploits. Bah, ça y était. C'était oublié… J'en ferais bien d'autres, va…

Au bout d'un moment, il m'a demandé comme ça :

– Pourquoi tu riais ?

– Pardon ?

– J'ai bien compris que tu étais très malheureuse

et extrêmement préoccupée par mon état de coma avancé, mais à un moment, pendant la nuit, je t'ai entendue rire. Rire aux éclats. On peut savoir pourquoi? Tu pensais à tout ce que tu allais pouvoir me voler à la Fidélité?

– Non, j'ai souri, non... C'est parce que je repensais à la gueule des mecs de notre classe quand on a eu fini de jouer notre scène...

– Quelle scène?

– Ben, tu sais bien... celle de Musset...

– Ah bon? J'étais en train d'agoniser à tes pieds et toi, pendant ce temps-là, tu pensais aux crétins de notre classe d'il y a perpète?

– Ben, ouais...

– Et c'était quoi, le rapprochement?

– Je sais pas... Ça m'est venu comme ça...

– Ah, bon?

– Oui.

– T'es vraiment une drôle de fille, toi, hein?

– ...

Silence.

– Dis donc, tu ne parlerais pas de cette pièce où Perdican épouse Rosette à la fin?

Et rebelote. Nous voilà repartis pour un tour.

C'était quand même le plus éculé de tous nos running gags, mais bon... allons-y s'il y tenait, allons-y...

– Non. Il ne l'aurait jamais épousée.

– Si.

– Non.

– Bien sûr que si.

– Bien sûr que non. Des mecs comme ça, ça n'épouse pas des petites gardeuses d'oies de merde. Je sais que t'aimerais y croire parce que t'es un gros romantique du temps des troubadours, mais tu te fourres le doigt dans l'œil jusqu'à l'omoplate. Moi, je viens de la caste à Rosette et je peux te dire qu'au dernier moment, il se serait débiné... Ses affaires l'auraient rappelé à Paris ou un truc dans le genre... En plus, son père n'aurait jamais permis ça. Il y avait encore 6 000 écus en jeu, je te rappelle...

– Si.

– Non.

– Si. Il l'aurait épousée.

– Pour quoi faire?

– Pour la beauté du geste.

– Beauté du geste, mon cul. Il l'aurait sautée et il l'aurait laissée sur le carreau avec son bâtard, ses poules et ses dindons.

– Que tu es cynique...

– Oui...

– Pourquoi?

– Parce que je connais la vie mieux que toi...

– Oh, pitié... Arrête... Tu ne vas pas remettre ça...

– J'arrête.

Silence.

– Billie ?
– Yes.
– Est-ce que tu veux bien m'épouser ?
– Pardon ?
Même l'âne s'était arrêté.
– Est-ce que tu veux bien qu'on se marie, nous
aussi ?
Ah, non, il était en train de crotter...
– Pourquoi tu déconnes avec ça ?
– Je ne plaisante pas. Je n'ai même jamais été
aussi sérieux de ma vie.
– Mais... euh...
– Euh, quoi ?
– Ben on est pas vraiment du même bâtiment,
quoi...
– Tu parles de quoi, là ?
– Ben, tu sais bien...
– Dis-moi, c'était qui la fille déjà, qui m'avait
expliqué un jour que le vrai de l'amour, ça n'avait
rien à voir avec la planche anatomique ?
– Je ne sais pas. Une petite merdeuse qui voulait
toujours avoir le dernier mot, j'imagine...
– Billie...
– Oui ?
– Marions-nous... Ils sont tous en train de nous
casser les pieds avec leur mariage pour tous, leur

manif pour tous, leur contre-manif pour tous, leur haine pour tous, leurs préjugés pour tous et leurs bons sentiments pour tous... Alors pourquoi pas nous, hein ? Pourquoi pas nous ?

Mais c'est qu'il était vraiment sérieux, ce crétin...

– Et pourquoi on ferait comme les autres ?

– Parce qu'une nuit, je ne sais pas si tu t'en souviens... c'était il y a très longtemps... Une nuit, tu m'as fait promettre de ne jamais t'abandonner parce que tu ne faisais que des bêtises sans moi... Et j'ai essayé, tu sais... J'ai vraiment essayé d'honorer ma promesse... Mais je ne suis pas encore assez balèze pour y parvenir. Il suffit que je marche quatre pas derrière toi pour que tu débloques de nouveau... Alors, je voudrais t'épouser pour qu'il t'arrive moins de bricoles dans l'avenir... On ne le dirait à personne et ça ne changerait rien à nos façons de vivre d'aujourd'hui, mais nous, on le saurait. On saurait que ce lien-là, aussi, existe entre nous, et on le saurait pour toujours.

Tu parles si je m'en souvenais de cette nuit-là...

Ainsi donc, il n'avait pas fait que dormir, lui non plus...

– Tu sais bien que j'en ferai toujours, des conneries...

221

– Eh bien non, justement. J'ai la prétention de croire que ça te calmerait un peu.

– De quoi?

– D'avoir enfin un petit bout de famille rien qu'à toi...

Silence.

– Dis oui, Billie... Là, je ne peux pas me mettre à genoux parce que j'ai trop mal, mais imagine que je le fais... Imagine la scène... Avec ce petit âne pour témoin... Ça fait dix ans que je rame avec toi et aujourd'hui, j'ai vraiment envie de conclure...

– Pourquoi tu m'épouserais, moi, d'abord?

– Parce que tu es le plus bel être humain que j'aie jamais rencontré et que je ne rencontrerai jamais et que j'ai envie que ce soit toi qu'on appelle en premier s'il m'arrivait une bricole à moi aussi.

– Ah? Ah bon? Ah bon, ben oui, alors... j'ai soupiré. Si c'est juste pour une histoire de coup de fil, je veux bien... Ch'uis serviable, moi...

Dis donc, petite étoile, elles ont l'air super tes fêtes, mais, hé... vas-y mollo sur les poppers, ma poulette, parce que c'est carrément cosmique, là...

Silence.

Silence dans le soleil et dans l'azur.

– Et alors ? Pourquoi elle sourit bêtement comme ça, la petite Billie, là ? il m'a lancé d'un air moqueur, elle pense à sa nuit de noces ?

Mais… rhôôô… euh… je ne souriais pas bêtement du tout. Je souriais très finement, au contraire.
Je souriais parce que je ne m'étais pas trompée. Eh non…

Je bichais pleins phares parce que j'avais eu raison encore une fois : une bonne histoire, surtout d'amour, ça se termine toujours par un mariage à la fin avec des chants, des danses, un tambourin et tout ça.
Eh oui…

La, la, reli… drela…

Henri Chéri du Chazaud, je te remercie.

Ce 326ᵉ TITRE DU DILETTANTE A ÉTÉ ACHEVÉ D'IMPRIMER À 199 999 EXEMPLAIRES LE 17 JUILLET 2013 PAR L'IMPRIMERIE FLOCH À MAYENNE (MAYENNE). IL A ÉTÉ TIRÉ, EN OUTRE, 55 EXEMPLAIRES SUR VÉLIN PUR CHIFFON, NUMÉROTÉS À LA MAIN. L'ENSEMBLE DE CES EXEMPLAIRES CONSTITUE L'ÉDITION ORIGINALE...

DE « BILLIE »,

D'ANNA GAVALDA.

DÉPÔT LÉGAL : 3ᵉ TRIMESTRE 2013
(85189)
*Imprimé en France*